ひろゆきの
シン・未来予測

［西村博之］

マガジンハウス

日本の未来は暗い。
これは事実です。
でも、あなたの未来が暗いとは限らない。
これもまた事実です。

「正しく知る」ことができれば、
「先に動く」ことができます。

世界を変えるテクノロジーは生まれるのか？
年金制度は維持できるのか？
将来性のある職種・職業は何か？
人口減少によって生活はどう変わるのか？
日本のコンテンツは世界で存在感を持ち続けるのか？

こうした未来を予測し、
今のうちから準備をすれば、
「みんなでダメになる流れ」から抜け出し、
〝自分だけ〟は幸せに生きることができます。

僕は「生活コストを上げないで幸せに暮らそう」と
20年以上前から主張してきました。

働く人が減って、養われる人が増えていく日本が、
今後「貧しい国」になっていくことは
明らかだったからです。

今さらになって、「日本の貧しさ」に気づき、
「人生詰んだ」と悲嘆に暮れている人を見ると、
「だから言ったのに……」という思いを抱いてしまいます。

一方、来るべき未来に向けて準備を進めていた人は、
フランスに移り、必要最小限のコストで暮らす僕のように、
「将来への不安」とは無縁の人生を送れています。

この本では、日本に生まれたことを後悔したくなる
「残念な未来」にも触れています。
でも、それはマスコミや評論家が語らない
「本当の未来」でもあります。

たとえ暗い気持ちになるとしても、
自分の将来を明るくするために
「真実」が知りたいという人だけ、
ページをめくってください。

あなたの勇気を称えます。
では、早速始めましょう。

ひろゆきのシン・未来予測

Contents

Chapter 2

経済――「日本の財布」はもう限界

Chapter 5 コンテンツ——YouTubeの次に来るもの

はじめに

「先の見えない不安」を抱えるすべての人へ

「将来の不安」を感じる人が増えてきているからか、あちこちで「今後の日本はどうなるのか」と聞かれるようになりました。

とくにYouTube配信でそうした質問をよく受けます。僕は、自分のYouTubeチャンネルで、視聴者の質問に答える生配信をしています。そして、その配信を後からほかの人が短く編集し、字幕をつけた「ひろゆき切り抜き」が量産されています。この切り抜き動画はかなりブームになっていて、1カ月間（2021年5月）の総再生回数は3億回を超えました。

第三者による切り抜きなので、僕は内容に一切関知していません。だから、動画の再生回数を見て、「世間のニーズ」を知ることになります。数ある切り抜き動画の中でも「未来予測」に関する動画はよく再生されていて、**「忖度や建前抜きの本当の未来を知りたい」**という人の多さを実感しています。

不安が社会を壊していく

将来の不安を抱える人が増えてしまうと、社会は不安定になっていきます。

「先の見えない不安は社会を壊す」――フランスで起きた大規模デモ「黄色いベスト運動」を目の当たりにしたときに感じたことです。

それまでも、しょっちゅうデモは目にしていました。フランス人が自らの考えをデモに参加して示すのは、ごく当たり前のことだからです。

しかし、黄色いベスト運動は、単に右派対左派といった思想的なぶつかり合いではなく、まさに庶民による階級闘争そのものでした。

最初は、マクロン大統領が指揮した自動車燃料増税の影響をもろに受けるドライバーたちが、安全確保用の黄色いベストを着用して抗議していたに過ぎませんでした。それが、あっという間に30万人規模のデモへと拡大したのです。

参加者の多くは、世帯月収25万円前後の労働者や年金生活者だと言われています。

彼らは、今は貧困層には属していなくても、いつ生活が厳しくなるかわからない明日への不安に押しつぶされそうになっており、その叫びは悲愴なものでした。

また、ごく一部ではあるものの建造物破壊などの暴力行為に及んだ参加者がいたため、デモへの非難の声が集まり、市民の間に分断を生みました。**「自分たちの生活が今後どうなるかわからない」という不安がフランス社会を壊していってしまった**のです。

〝縮小〟する日本社会

これは日本にとっても対岸の火事ではありません。世帯月収25万円前後という貧困層予備軍は日本にもたくさんいるし、これからますます増えていくからです。

それは、人口に着目すれば明らかです。人口減少は貧困層の増加と直結します。

本書でも大きな問題として取り上げていますが、日本は否応なく縮小していきます。ピークであった２００８年の１億２８０８万人をターニングポイントに、日本の人口は減り始め、２０５３年には１億人を割ると予測されます。

それどころか、２０６０年には９２８４万人と、ピーク時から28％も減ってしまいます。つまり、**40年後には日本の人口は4分の3以下となる**わけです。

かつて僕は、現代の「知の巨人」とも称される、フランスの歴史人口学者エマニュエル・トッド氏にインタビューしたことがあるのですが、そのとき彼はこう言い切りました。

「先進国が発展した要因の多くは人口増加によるもので、人口が減ることは社会にとっていいことではない」

要するに、**人口減少が急激に進んでいく日本は今後いい方向には行かない**のだということです。

僕たちは上の世代よりも幸福に生きられる人の数が減っていきます。これはたとえるなら、勝者が極端に少ない椅子取りゲームに参加させられているようなものです。

「論破」よりも大切なこと

こうした事実をテレビやSNSなどで相手の顔色を窺わずに語っていると、「論破した!」と周りが盛り上がることがあります。でも、実を言うと、僕自身は「論破」

という言葉をほとんど使いません。

僕は、会社勤めをしているわけではなく、わりと自由に使える時間があります。フランスに住んでいるので、日本を客観的に見ることもできています。英語の論文やニュースなどもそこそこ読めます。

そんな**僕の役割は「論破」よりも「投げかけること」**だと思っています。

勉強不足のおかしな評論家や、スポンサーに忖度するメディアが一方的に話すことではなく、データに基づいた事実や予測を伝え、それを受け取った人が自分で考えたり、疑問を持ったりして、そこからいろいろな討論に発展していけばいいと思っています。つまり、論破（と言われているもの）は、あくまで過程なのです。間違いを指摘したうえで、僕の考えや見立てを投げかけていく。本書は、そうした後半部分をきちんと伝えるために書いたつもりです。

本書では、**僕なりの目線で未来を語ることで、読者のみなさんに「考えるきっかけ」を提供していきます。**それによって、縮小していく日本においても幸せな未来をつかめる人が増えるといいなと思っています。

本書の具体的な章立ては、「テクノロジー」「経済」「仕事」「生活」「コンテンツ」

の大きく五つのグループからなっています。

ただ、未来を語る前に、0章としてそれぞれの「今」について触れておきます。とにかく今すぐ未来を知りたいというせっかちな人は1章から読み始めてもかまいませんが、現状をきちんと把握したうえで、未来を考えるためにも、0章から読むことをおすすめします。

コロナ禍もあり、**世界はこれまでにないほど、先行きの見えない時代になっています。**今後の自分の人生はどうなるのかという不安を覚えている人も多いでしょう。そうした不安を和らげ、どう行動すべきかを見通すために、ぜひ本書を有効活用してください。

Chapter

0

「未来を考える」ための“今”の話

「テクノロジー」の今

「20年前」から世界は一変している

テクノロジーの進化を示す線は、単調な右肩上がりで描かれるものではなく、あるとき急激に上昇していきます。**僕たちが生きている現代は、その急激な上昇ラインの途中に位置している**といっていいでしょう。

実際、僕が大学生のときにネット掲示板の「2ちゃんねる」をつくったときには、ネットはまだごく一部のオタクが使うものといった感じでした。

だからこそ、僕のような何の実績もない若者がつくったものでも受け入れてもらえたのだと思います。

それが今では、誰もがスマートフォンで気軽にネットを楽しめる時代です。隔世の感がありますが、たった20年間でこれだけの変化が起こっているわけです。

仮に、中世の1300年代に生まれた人が1600年代にタイムスリップしたとしても、その生活様式はたいして変わらないはずです。でも、1700年代の人が2000年代に来たら、ものすごく驚くでしょう。この間の技術進化のスピードは目覚ましいものがあるからです。

日本で言うなら、江戸時代と平成や令和を比較してみたらどうでしょう。江戸時代には、庶民は長い距離でもわらじを履いて歩いていました。それが今や、新幹線や飛行機など、多種多様な移動手段があります。たとえば、現在東京から京都までは新幹線で2時間ちょっとですが、江戸時代は徒歩で2週間以上かかっていました。

このように、テクノロジーの進化によって、僕たちの生活レベルは格段に上がっており、それは文句なしに喜ぶべきことだと思います。

データ通信量の急激な増加

僕らが今、どれだけ急激な変化の中にいるのかを示すデータがあります。

アメリカのＥＭＣ社は、「デジタルユニバース（世界のデジタルデータ生成量）」に関する調査を行っており、「２年ごとに規模が倍増している」という報告を上げています。

彼らの試算によれば、**世界のデータ通信量は２０１３年には４・４ＺＢ（ゼタバイト）だったのが、２０２０年には10倍の44ＺＢになる**ということでした。

普段、一般の人が使っているノートパソコンの場合、５００ＧＢ（ギガバイト）から、かなりスペックのいいもので１ＴＢ（テラバイト）くらいの容量です。それで十分に足りているはずです。

このＴＢの１０００倍がＰＢ（ペタバイト）、ＰＢの１０００倍がＥＢ（エクサバイト）、ＥＢの１０００倍がＺＢですから、44ＺＢがものすごい通信量だということがわかるでしょう。

結局、５Ｇとは何なのか？

激増するデータ通信量を支える移動通信システムも進化を続け、いよいよ5Ｇの時代に突入しました。

５Ｇでは「高速・大容量化」に加え、通信タイムラグを極めて小さく抑えられる「低遅延」、１００個程度の器機やセンサーを同時に接続できる「多接続」を可能にしています。

アナログの1G時代にはわずか10KB（キロバイト）だった携帯電話の通信速度が、5Gでは10GBを楽に超えます。

これまでも、3G、4Gと「高速・大容量化」が進みましたが、5Gの場合はそれが桁違いで、2時間の映画を3秒でダウンロードできるほどになっています。

しかし、本当にその利便性を享受できる人は今のところ限られています。というのも、5Gの情報量を必要とするコンテンツなどほとんどないからです。4Gですら、最高速度で使い続けている人はあまりいません。

そもそも、5Gは電波が届く範囲が短いので、基地局をあちこちに建てていかなければなりません。

ところが、すでに都心部では適したポイントがなかなか見つからないのです。土地のある地方なら可能ですが、それだとカバー範囲が広くなるために、今度は速度が落ちて5Gの利点が生かせないということになりがちです。

つまり、一言で言うと、**5Gにはそれほど期待できない**ということです。

「テクノロジー」の未来

こうした現状を踏まえて、1章では世の中を大きく変える可能性のあるテクノロジーを紹介していきます。「自動運転」や「遺伝子編集」「無人店舗」など、ニュースでもよく見聞きするトピックを僕なりにひも解いていきます。

テクノロジーの未来を考えるうえで大切なのは「夢物語に騙されない」ことです。新たなテクノロジーが生まれると、人々の期待は一気に高まるので、どうしても実現の可能性が低い理想論ばかりが語られる傾向にあります。

先ほど触れた5Gも、使用できる場面が限定的すぎて、なかなか活用は進まないでしょう。にもかかわらず、テレビや新聞では「5Gが世界を変える」と盛んにはやし立てています。

世界を変えるポテンシャルを秘めたテクノロジーは次々と生まれています。ただ、その中で実際に大きなインパクトを与えるものはごく一部です。あえて一歩引いた目線で、テクノロジーの未来を予測していきます。

「経済」の今

貧しい日本、安い日本

新型コロナウイルスの流行は、日本の財政にかなりのダメージを与えました。検査やワクチン接種体制の整備、支援金などの対応に莫大なお金がかかった反面、企業の業績悪化によって税収は激減したわけですから、それも当然でしょう。2021年に内閣府が発表したところによると、感染拡大前の試算より、財政赤字額は4倍に膨れ上がったそうです。

さらに、**債務残高はGDPの2・16倍にも達しています。**コロナ禍にあって、世界の国々はどこも財政が悪化していますが、債務残高の膨張は日本が突出しています。経済大国だったはずの日本は、もはやその影もありません。

日本はすでに、国民の認識よりもずっと「安い国」に成り下がっています。

たとえば、日本がいつの間にか外国人にとって人気の観光スポットになった一番の理由は、「安い」からです。

かつて、日本のお金のない若者がバックパッカーとして世界を旅行できたのは、日本の物価が諸外国と比べて高かったからですが、もうそんな時代はとっくに終わり、逆のことが起きているのです。

コロナ禍で外国人観光客の姿を見かけなくなりましたが、落ち着けばまだすぐに戻るでしょう。しかし、彼らは日本の安さに魅力を感じているわけなので喜んでばかりもいられません。

日本の安さを示す、もう一つの事例を見てみましょう。

「ビッグマック指数」を知っているでしょうか。これはイギリスの経済専門誌『エコノミスト』が考案した指標で、マクドナルドで販売されているビッグマック1個の価格を国ごとに比較することで、経済力を測るというものです。

2021年のデータを見ると、日本では1個390円ですが、アメリカでは621

円と２００円以上の開きがあります。また、タイ（４２９円）やブラジル（４８０円）よりも日本の価格は安くなっています。

日本人が「あの国は貧しい」と思っているところよりも、日本は貧しくなりつつあるというのが本当のところです。

アジアやアフリカの国を中心に、世界の人口は爆発的に増加していますが、日本は２００８年の１億２８０８万人をピークにすでにマイナスに転じています。つまり、**日本のマーケットは縮小に向かっており、国内外の企業にとって魅力的なものではなくなりつつある**ということです。人口が減少することは、経済を回していくうえで大きな足かせとなります。

そしてさらに問題なのは、単純に人口が減っていくということだけではなく、その構成がひどく歪（いびつ）なことです。国が発展していくためには、働いて税金を納める人がたくさん必要です。逆に、社会保障費で税金を食い潰す人々は少ないほうがいいわけです。これは、僕の見立てではなくて、社会構造上の現実を述べたに過ぎません。

日本では、人口問題を扱うにあたり、65歳以上を「老年人口」と定義し、なかでも65歳から74歳までを「前期老年人口」、75歳以上を「後期老年人口」としています。

基本的に、老年人口は社会保障を受ける層です。

一方で、０歳から14歳までを「年少人口」、15歳から64歳までを「生産年齢人口」と呼びます。

今は、義務教育を終えたばかりの中卒で働く人は多くありませんし、70歳を超えてもバリバリ現役の人もいますが、基本的に15歳から64歳までの生産年齢人口こそ、働いて稼ぎ、税金を納めて国を支える層と考えることができます。

国立社会保障・人口問題研究所の「日本の将来人口推計」によると、１９５０年には、生産年齢人口が全人口の59・７%を占めていました。しかも、その下の年少人口（いずれ生産年齢になる人たち）が35・４%もおり、65歳以上の老年人口は４・９%に過ぎませんでした。こうしたピラミッド構造だと、年金など社会保障費を必要とする人たちを支えることは容易なわけです。

しかし、２０１５年には、生産年齢人口こそ60・８%いるものの、年少人口は12・５%に激減しています。それに対して老年人口が26・６%を占めるようになりました。

そして、２０６５年には、生産年齢人口51・４%、年少人口10・２%、老年人口38・４%と、頭でっかちの非常に歪な構成比となってしまいます。

「経済」の未来

経済の未来を語るうえで一番重要なデータが「日本の年齢別人口比率」です。先ほど見たように、日本は今後「少子高齢化」がものすごいスピードで進行していきます。そして、その速度はどんどん増していきます。

少子高齢化を経済的な視点から言い換えると、**「稼げる人が減って、養われる人が増える」**となります。

たくさんの高齢者を少数の現役世代で支える歪さからどんな問題が起きてくるのか。2章では、意外な実例を挙げながら明らかにしていきます。加えて、「僕らは年金をきちんともらえるのか」といった、現役世代の気になる疑問にも答えを出します。

また、「稼げる人」が減ることで、日本企業が勢いを失い、それを埋める形で、GAFA（グーグル・アマゾン・フェイスブック・アップル）をはじめとしたグローバルなIT企業が深く入り込み、「新たな経済圏」を構築していくはずです。こうした企業が今後どんなふうに日本で勢力を伸ばしていくのかについても予測していきます。

「仕事」の今

「国内」でやってこられた

コロナ禍にあって、日本人は自国の特殊性に気づいたのではないかと思います。たとえば、欧米諸国が可能な「強制的ロックダウン」が日本にはできないこと。新しいワクチンに対して国も国民も及び腰で、結果的に接種が大きく出遅れたこと。枚挙に暇（いとま）がないほど、いろいろなことが浮き彫りになりました。

ビジネス環境についても「このままではまずい」と感じたことがあったでしょう。日本ではリモートワークへの移行がなかなか進みませんでしたが、無理に出社する理由には「上司の印鑑をもらうため」とか、「取引先からＦＡＸが届いているかもしれないから」とか、信じがたいものがたくさんありました。

しかも、中小企業だけではなく、トップクラスの大企業でさえもやっているのですから、世界から見たら理解不能です。

日本の企業がかくも〝変なまま〟生き続けてこられたのは、前項でも述べたように国内にそれなりのマーケットが存在したからです。日本の人口が増えている時代には、日本人に買ってもらえるものをつくっていれば、企業は生き残ってこられました。

印鑑などはその典型ですし、ＦＡＸが今も売れる国は日本くらいのものでしょう。

しかし、すでに日本のマーケットは縮小しており、そういう姿勢では企業は立ち行きません。それに、グローバル化で外資が流入すれば、縮小しているマーケットすら食われてしまいます。

ところが、なまじこれまで国内需要頼みで生き残ってこられただけに、対応できずにいるのが日本企業の現実です。大きなマーケットを相手にしようにも、海外で喜ばれるようなものをつくれずにいるわけです。

そこで働く従業員も、日本国内で仕事ができればよかったため、外に出ることなど考えずにきました。だから、語学力のある人材もほとんどいません。

一方、韓国はもともと人口が日本の半分くらいであるため、企業は最初から世界市場を意識していました。フランスなどヨーロッパの国々も同様です。

中国やインドのように国内に巨大なマーケットを有しているならともかく、日本はなんとも中途半端。その**中途半端さゆえに、企業も人もグローバル化への対処が著しく遅れています。**

環境は整っているけれど……

スイスのビジネススクールＩＭＤ（国際経営開発研究所）は、毎年、独自に調査した「世界競争力ランキング」を発表しています。

そこでは、「国内経済のパフォーマンス」「政府の効率性」「ビジネスの効率性」「インフラ」という４つの大きな指針（それぞれ５つずつの小項目に分かれています）をもとに、その国の国際的な競争力を診断しています。

かつての日本は上位国の常連で、１９８９年から4年間にわたり、１位を維持してきていました。ところが最近では、順位を大きく下げています。

２０２１年は64カ国中31位。これでも、34位だった２０２０年からは３つ順位が上がっています。いずれにしても、半分か、それ以下をうろうろしているわけです。

上位の国を見てみると、1位スイス（2020年は3位）、2位スウェーデン（同6位）、3位デンマーク（同2位）となっています。アジアの国では、シンガポールが5位で、前年の1位から後退したものの、日本とは比較にならない高位置にいます。

2021年にとくに高い評価を得た国々は、新型コロナウイルスの感染拡大という状況にある中で、「イノベーションへの投資」「デジタル化」「福利厚生システム」「社会的結束を高めるリーダーシップ」などの小項目が共通して高かったと報告されています。

肝心の日本はというと、インフラに関しての小項目はどれも概ね高いのですが、ビジネスの効率性の小項目は「経営姿勢」や「生産性と効率」が極めて低くなっています。

ここから見えてくるのは、**日本企業は設備や環境は整っているけれど、そこで行われているビジネスはダメだ**ということです。

ただし、僕は日本人が無能だとは思っていません。日本のビジネスのやり方が時代の流れに合わなくなっているだけなのです。

「仕事」の未来

ここまでに見てきたように、日本のビジネスはさまざまな部分で制度疲労を起こしています。

日本のビジネスパーソンたちはそれを毎日のように肌で感じているはずなので、不安を覚えている人も多いでしょう。

そこで、3章では、「仕事の未来」について語ります。「ＡＩにも奪われない、将来性の高い業種は何か」「今のうちに身につけておきたい、これから役に立つスキルは何か」といった、より具体的な話をしていきます。

また、「移民は労働力不足解消の救世主となるのか」「日本特有の定年制度は維持されるのか」などの、もう少しマクロな視点からも考えていきます。

日本のビジネス環境はマーケットの縮小にともない、今後大きな変化を余儀なくされます。その変化に対して、事前に準備を進めるためにも、今のうちに、「今後日本のビジネス環境がどうなるのか」を知っておくべきなのです。

「生活」の今

人口減少と一極集中

39ページに示した、日本の人口に関する今後の推移予測を見てください。「はじめに」でも述べましたが、2020年に1億2533万人の人口が、2030年には1億1913万人に、2040年には1億1092万人にまで減少すると考えられています。そして、2053年には1億の大台を割り、2060年には9284万人にまで落ち込むとされています。

勢いのあった日本を知っている人にとって、まったくピンとこない数字かもしれませんが、これは遠い未来の話ではありません。

2020年に生まれた子どもが、まだ40歳の働き盛りにあるときに、日本は今より

すっかり「小さな国」になっているということなのです。

日本の「低出生率」は、ほかの先進国に例を見ないほど急激に進みました。2000年の段階ですでに、死亡率よりも出生率が低くなっています。

死亡率よりも出生率が低いということは、すなわち人口の減少を意味します。結論からいえば、日本はもう「国力を落としていくしかない」ということです。

日本のGDPは今後さらに伸び悩むでしょう。すでに伸び率については、先進国では最下位の状態が長く続いています。現在はなんとか世界3位のGDPを維持している日本ですが、1人当たりに換算すると23位と低くなっています。

それに、3位ではあっても、1位のアメリカや2位の中国とは、そもそもの桁が違います。4位のドイツに限りなく近い3位なのです。

今はまだ数の力で踏ん張っているだけで、その数が減ってしまえばどうなるかは、火を見るより明らかです。

僕は、仕事で日本の地方都市に行く機会がたびたびありますが、その寂(すた)れ度合いには驚きます。よく名前を聞く都市の駅前商店街ですら、多くはシャッターが降りてい

日本の総人口推移予測

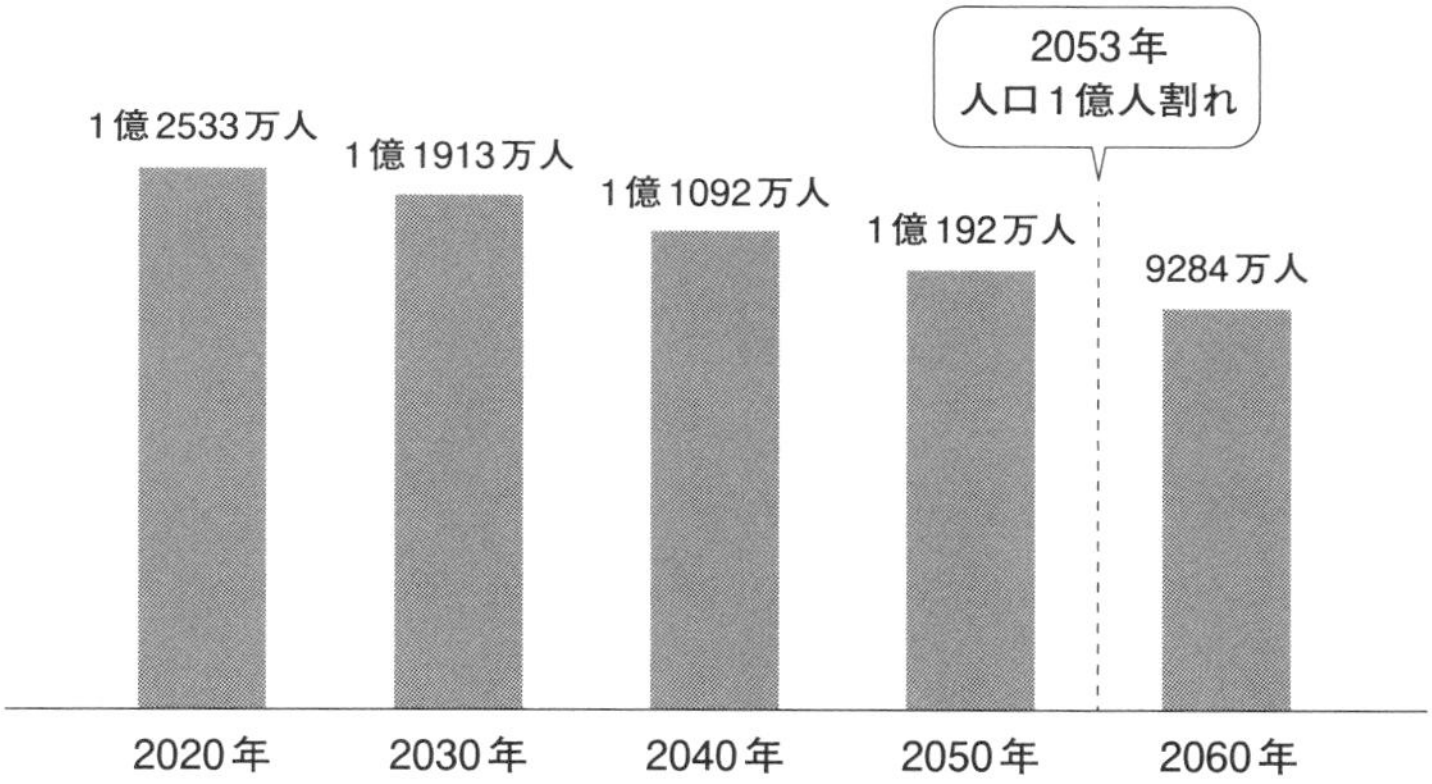

出典：人口統計資料集（2020年）

ます。

もともと人口が減っているところへ、その減っている人口が東京に集中している。これが現在の日本の姿です。

コロナ禍でリモートワークが増えたことや、密を避ける意識から、地方へ転出する人もいたとはいえ、長期的な視点で見れば東京一極集中に変化はありません。

日本では、高度経済成長が始まった１９６０年代から東京圏への人口流入が顕著になりましたが、第一次オイルショック、第二次オイルショックがあった70年代にかなり転出しました。それが、バブル経済の時期にまた流入し、バブル崩壊で再び転出ということを繰り返し、今はまた流入超過となっています。

有名企業や有名大学の多くが東京にある以上、修学や就職のために若い世代が東京に流入するのは当然のことです。そして、いったん東京に来ると、なかなか地方へ戻るという選択肢はとれません。そのためには、今の仕事や便利な生活スタイルを手放さなければならないからです。

メディアには「Uターン」「Iターン」の事例がいろいろ紹介され、あたかも、それが新しい潮流のように印象づけられています。しかし、そうした特集を組む理由は「めずらしい」からであって、当たり前のことなら見向きもされないでしょう。

実際に、東京23区では中古マンションの価格が暴騰しています。

「人口が減っている日本では、住む場所は余ることはあっても足りなくなることなどない」という共通認識があるはずなのにマンション価格が上がるのは、それだけ東京に住みたがっている人が多いということです。

いくら国が意図的に一極集中を解消しようとしても、人々の意思はそれとは違うところにあるのです。

「生活」の未来

東京の一極集中もそうですが、「縮小する国ニッポン」に住む僕らの日常は少しずつ変化していきます。

まず、**人口が減ることで、一番大きな問題となるのが「インフラや教育制度の維持が難しくなる」**ことです。

右肩上がりで人口が増えていた時代は、税収が安定して得られるので、地方でも橋や学校をばんばんつくることができました。しかし、今後は違います。人口が減っていくにつれ、これまで僕らが当たり前に享受してきたインフラや教育制度が維持できなくなってくるのです。

4章では「鉄道の路線廃止」や「大学倒産」など、具体的に起こるであろう出来事を挙げていきながら、「日本人の生活の未来」を見ていきます。行政のこと、教育のこと、対人関係のこと……トピックは多岐にわたりますが、どれも僕らの身近で起こることばかりなので、知っておいて損はないはずです。

「コンテンツ」の今

「ものづくり時代」からの転換

僕は自宅に引きこもって、「ネットフリックス」ばかり見ていると思われている節があります。あながち間違いではありませんが、実はコンテンツの制作者側に立つことも結構あります。一時はYouTubeをしのぐほどの勢いがあった動画配信サイト「ニコニコ動画」を立ち上げたり、あまり知られていませんが、アイドルを紹介するフリーペーパーをつくっていたりします。

また、テレビに出演したり、新聞の取材を受けたりなど、メディアとも昔から関わりを持ってきました。「新しい未来のテレビ」と称されることもあるＡＢＥＭＡの番組にも毎週レギュラー出演しています。

僕自身は面白いコンテンツを生み出す才能はないとはじめからわかっていたので、

意識的に「クリエイターをサポートする」ようにしてきました。

ニコニコ動画にオリジナル曲をアップしていた米津玄師（よねづけんし）さんや、大人気YouTuberのヒカキンさんなど、優秀なクリエイターはそのとき最も勢いのあるプラットフォームから出てきており、僕もこれまで時代ごとにさまざまな場所を通じて、クリエイターの制作活動を応援してきました。

そんなふうにいろいろなコンテンツに触れてきた僕からすると、**今は「ものをつくる時代」から「ものをつくってもらう時代」への過渡期を迎えている**ように思います。具体的には、テレビ局や新聞社などのコンテンツメーカーが少しずつ力を失い、代わりに、YouTubeやネットフリックスなどのコンテンツプラットフォームが勢いを増しているのです。

テレビ、新聞の凋落

ＮＨＫ放送文化研究所が5年ごとに行っている「国民生活時間調査」という調査があります。

これによって、**若者のテレビ離れが想像以上に急激に進んでいる**ことが明らかになっています。

平日に少しでもテレビを見る人の割合について、60代以上は変化なく高い数字を保っています。ところが10代から50代までは5年の間に激減し、とくに10代と20代は半分がテレビを見ていません。

この結果には、調査を行ったNHK放送文化研究所も相当に驚いたようですが、なによりショックを受けたのは民放テレビ局ではないかと思います。実際に、2020年の決算報告では、民放5局はすべて前年比マイナスになっています。

これからの消費を担う若者がテレビではなくネットを見ているのであれば、企業の広告費もネットに流れて当然です。民放テレビ局は、広告以外の収入源を確保しないと、経営は厳しくなっていくでしょう。

新聞も危機的状況にあります。

日本新聞協会が発表している日本の新聞の発行部数は、1997年がピークで5376万5000部。それが、2018年には3990万1576部と、**21年間で4分**

の3に減っており、部数減少に歯止めがかかっていません。

こうした状況にあって、「紙の新聞が守れなければジャーナリズムは死ぬ」というような発言をしているマスコミ人もいます。

紙メディアと比較してネットメディアでは賃金も安く、ただ働きに近い記者もいるそうで、そういう状態で優秀なジャーナリストは育たないと、彼らは危機感を訴えているのです。

このように、テレビ局や新聞社といったコンテンツメーカーは、今まさに岐路に立たされているのです。

YouTuberの競争激化

今の子どもたちの憧れの職業に、「YouTuber」があります。自分のセンス一つで世界的に有名になったり、莫大な広告費を得たりすることができるからでしょう。

ただ、今やYouTubeも競争激化しています。

日本では、漫才コンビ・キングコングの梶原雄太(かじわらゆうた)さんが「カジサックの部屋」を立ち上げた２０１８年を境に、芸能人の参入が相次いでいます。制作にプロが関わっている、本格的なチャンネルも増えました。

また、２０１９年11月から運営されている「THE FIRST TAKE」は、YouTubeを活用した一本撮りのライブ感にこだわっており、それまでＣＤ販売中心だった音楽業界のあり方を覆すといわれています。

過去において長く潤っていた「レコード会社（音楽配信会社）」は、YouTubeの影響で、５年後には跡形もないかもしれません。

あるいは、「THE FIRST TAKE」そのものが、ほかのコンテンツに取って代わられているかもしれません。

いずれにしても、**音楽や映画などを、これまでのように「買って楽しむ」という行動を人は取らなくなっています。**

一定の目的に絞ってＣＤやＤＶＤ、コンサートや映画のチケットを買うよりも、サブスクリプションでいろいろ楽しむスタイルが歓迎されています。僕もヘビーユーザーのネットフリックスは、今や世界１９０カ国以上にネットワークを拡大している巨大映像コンテンツ配信会社となっています。

「コンテンツ」の未来

過渡期を迎えたコンテンツビジネスが今後どこへ向かうのか。これまで作り手側としても消費者側としても、さまざまな作品、クリエイターと接してきた僕の経験を元に「コンテンツの未来」を提示していきます。

新聞やテレビといった既存のコンテンツメーカーはもちろん、ここ数年で急速に存在感を増しているYouTubeやネットフリックスなど、コンテンツのプラットフォームについても述べていきます。

また、今後どんな日本のコンテンツが世界で受け入れられていくのかも考えていきます。日本のアニメや漫画は世界中で親しまれていますが、それがこれから先も続いていくとは限りません。

どういう作品が求められているのか、またその作品をつくれるクリエイターをどうやって育てていくのか。そうした**未来志向を持って、日本のコンテンツ戦略を考えていくべき**なのです。

Chapter

1

テクノロジー

それは人類の“脅威”か“希望”か

いまだにFAXを使い続ける国の末路

〝アフリカ以下〟のテクノロジー

最新のテクノロジーが集結している場所を知っているでしょうか。シリコンバレーでも、もちろん日本でもありません。答えはアフリカです。

たとえば、アフリカでは電子決済がものすごい勢いで普及しています。アフリカでは銀行口座の所有率が低く、貨幣の信用もないため、デジタル上でのお金のやり取りにものすごく高いニーズがあり、一気に広まったのです。

ほかには、輸血用血液や医薬品をドローンで病院に届けるという、日本でもまだ始まっていないようなサービスが次々実用化しています。

なぜ、アフリカでテクノロジーが次々導入されているのかというと、**インフラが整っていない国ほど、技術進化するときには蛙のようにひとっ飛びで進む「リープフロ**

ッグ現象」が起きるからです。

アフリカが日本を跳び越えて、次々テクノロジーを導入していく様子を見ると、「日本はいったい何周遅れているんだ」と嘆きたくなります。

ＦＡＸ廃止通達が示すこと

２０２１年４月、行政改革を担当する大臣から、各省庁に対し「ＦＡＸ廃止」を促す通達が出たことが話題になりました。そんなことを、いちいち通達しなければならないほど、日本ではＦＡＸが愛用されているということでしょう。

もしかしたら現場では「これからもＦＡＸは必要だ」という抵抗が起きているかもしれません。

アメリカのスミソニアン博物館には〝展示物〟としてＦＡＸが置かれています。「こういう伝達手段もありました」という過去の歴史的遺物として展示されているのです。そんな**古くさいツールを使って、今もなお、行政の中枢部が重要なやりとりをしているのが日本という国**です。

新型コロナウイルスの流行初期に、ＰＣＲ検査の結果を保健所や自治体がＦＡＸで連絡していたため対応が遅れるという事態に陥りました。こんなことは、欧米諸国から見たら信じられない話です。

僕がアメリカで「4chan」というサイトの管理人になったとき、行政機関などとのやりとりがメールで簡単に行われたことに感心しました。

これは、日本と違って、アメリカでは意思決定権を持っている人たちがＩＴ技術をよく理解しているということでしょう。

「外部に丸投げ」の現状

僕は２０２１年１月から、福岡市の「ＤＸ（Digital Transformation）デザイナー」として働いています。ＤＸとはＩＴ技術を用いて人々の生活をより便利なものへと変容させていくことで、まさに、今の日本にとって喫緊のテーマです。

福岡市は外部から知見のある人を公募するほど、本腰を入れてＤＸ化に取り組んでいますが、ほとんどの自治体はそうではありません。自分たちでプログラム開発すべきところをシステム会社に丸投げしているのが実態です。しかも、自治体の中にプログラムのことがわかる人が少ないので、システム会社に都合のいい方向に誘導されてしまっています。

新型コロナウイルス流行に対応すべく厚生労働省が開発した接触確認アプリ「ＣＯＣＯＡ（ココア）」では、致命的なバグが４カ月間そのまま放置されていたことが明らかになりました。アンドロイド版アプリで「陽性登録者との接触」を検知・通知しないという不具合だったようです。

つまり、４カ月間、まったく役に立たないアプリだったわけです。民間だったら、関わった会社が吹き飛ぶ可能性すらある大きな問題です。

新しくＩＴシステムをつくり上げるときには、当然、それがきちんと働くかどうかのチェックが必要です。そのチェックは「どこかにあるミスを探し出してやる」という悪意のある目で行わなければなりません。

ところが、**依頼元がすべてを丸投げしている場合、チェックの方法自体も開発を担当した会社がつくることになるので、悪意のある目は機能しない**のです。

日本は「切り捨て」が苦手

日本がいくら周回遅れといっても、コロナ禍によって、直接の接触を避けようとする流れが起こっているから、これから少しずつＤＸ化が進んでいくという見立てもあるようです。しかし、僕はそうならないと思っています。なぜなら、**日本はほかの国よりも「できない人に合わせる風潮」が顕著**だからです。

フランスの自治体では、日本よりもＤＸ化が進んでいます。

たとえば、確定申告はオンラインのほうが有利になるよう制度設計されています。紙で申告する場合は5月が締め切りなのに、オンラインなら6月まで待ってもらえます。その一方で、一度でもオンラインで申告したらその後は紙では受けつけてもらえません。そうやって、だんだんとオンライン比率を増やしていくわけです。

フランスに限らずヨーロッパはそういう傾向があって、法律で新しい手法が決まったら、文句は受けつけません。できない人が困っても、それは「ついてこられないほうが悪いのだ」という考えです。

でも、日本はそうではありません。法律で決まったとしても、「できない人を切り捨てるな」という風潮があります。

もちろん、ヨーロッパにも文句を言う人はたくさんいます。フランスの「黄色いベスト運動」のように、文句の声自体は日本よりもずっと大きく過激な形で出ます。それでも、過半数が納得して進んでいることに対しては「国民の多くが望んでいることだから仕方がない」という割り切りがあります。

日本はその割り切りができず、「どっちも大事にしなければ」と考えるため、物事が前に進みません。

本当は、高齢社会ほどＤＸ化をどんどん進めたほうがいいし、高齢者にも弱い立場の人にもそれを使いこなしてもらったほうがいい。しかし、日本は「できない人に合わせる」方針で、**デジタルが苦手な人はずっと苦手なままなので、今後もＤＸ化はなかなか進んでいかない**のです。

自動運転は〝絶対に〟普及する

「人間が運転するなんて怖いよね」

僕は気が向いたときにYouTubeの配信をしていて、視聴者からの質問に答えているのですが、そこで何度も受けているのが「自動運転」に関する質問です。自動車という身近なトピックなので、多くの人が興味を持っているのでしょう。

これは断言できますが、自動運転は間違いなく普及します。むしろ、普及しない理由が見つかりません。

今はまだ「自動運転は不安だ」と否定的な意見を述べても変人扱いされませんが、いずれ様変わりするでしょう。

そう遠くない時期に「こんなに危険なものを昔は人間が運転していたんだって。怖いよね」と振り返る日が来るはずです。

実際に、高齢者によるアクセルとブレーキの踏み間違い、公共バスの運転手に起きた突然の発作、スマホやカーナビ操作に気を取られてのハンドルミスなど、今も世界中で交通事故が起き、多くの犠牲者が生まれています。高速道路を逆走するという信じがたいニュースもたびたび目にします。

こうした危険性が自動運転技術によって軽減することは確実で、最初こそ「自分で運転しないのは心許ない」と感じても、慣れるにつれ、それが当たり前のことになっていくでしょう。

実際、すでに飛行機はとっくに自動化されています。離着陸以外ほとんど自動操縦ですが、それを怖いと考える人は少数派です。むしろ、心身にどんな不調を持っているかわからないパイロットが操縦しているほうが、はるかに不安でしょう。

また、東京の新橋・豊洲間を運行している「ゆりかもめ」は無人運転です。これなど、1995年の開通当初から危険性を指摘する意見はほとんどなく、実際になんら重大事故は起きていません。

つまり、僕たちはずっと前から**「人間がやるより自動化したほうが安全」**ということはわかっているのです。ところが、なまじ自動車に関しては、自分たちが運転してきた経験があるだけに、おかしなバイアスがかかっているわけです。

自動運転「驚きの活用法」

多くの人は自動運転について「運転しなくていいから便利になるな」くらいの解像度でしか捉えていません。しかし、それだけではありません。この技術は明らかに世の中を変えるポテンシャルを秘めています。

自動運転には、アメリカの自動車技術者協会が設定した0から5のレベル分けがあります。レベル0から2まではあくまでドライバーが主体。レベル3からはシステムが主体になり、ドライバーは条件つきで前方から目を離すことができます。日本では2020年の法改正にともない、現在レベル3の走行が可能です。

そしてレベル4からはいよいよドライバー不在でも運転可能なシステムになります。この無人自動運転に大きなインパクトがあるのです。

2019年、大手電気自動車メーカーのテスラは自動運転を利用したロボタクシー構想を発表しました。これは、**車をオーナーが利用していない時間帯に、自動運転のタクシーとして活用し、運賃を稼ぐ**というビジネスモデルです。

自家用車の稼働率は10％以下だといわれています。残りの90％の時間は駐車場に停まっているだけなので、オーナーは喜んでロボタクシーとして貸し出すはずです。この構想が実現して、ロボタクシーが町中を走り回るようになれば、タクシー会社はとても太刀打ちできなくなります。

また、燃費のいい自動運転車が開発されて、走行コストが下がると、これまた大きな変化が起こります。

車で出かけるときに負担となるのが駐車代です。特に都心部ではたった1時間コインパーキングに停めただけで、1000円以上かかることもあります。

その負担を自動運転技術が解消してくれます。駐車にかかるコストよりも走行コストのほうが低くなれば、わざわざお金を払って車を停めておく意味がなくなります。駐車せずにずっと近くの道を自動で走らせておけばいいからです。その結果、**「駐車場」が必要でなくなる未来がやってくる**のです。

駐車代の高い都心部を中心に、誰も乗っていない車が同じ道をぐるぐる走り続ける光景を目にするようになるでしょう。

「実験機会」がない日本

ただし、自動運転技術において、日本がその開発の先頭を行く可能性は極めて低いでしょう。法律がメーカーの「実験機会」を阻んでしまうからです。

当然のことながら、新しい移動手段を開発するときには、それによって「どういう事故が起きるか」という検証が必要です。その課程では実際に犠牲も出ます。

アメリカや中国なら、開発途中の安全性が確保されていない製品でも、実際の道路を実験的に走らせ、そこからデータを得ることもできるでしょう。

また、完成品として販売した製品に欠陥があって事故が起きたときには、儲かっているメーカーが責任を負いつつ原因を入手し、さらに改良を進めていけます。結果的に、より優れた製品をつくることになり、そのメーカーはマーケットで存在感を出していくことができるのです。

しかし、日本では法律の改正がなかなか進みませんでした。日本で2020年に認められたレベル3の自動運転も、アメリカやドイツでは2017年時点ですでに認められていました。走行データの蓄積という点において、この数年の差は致命的です。すでに日本はほかの国と比べて出遅れてしまっているのです。その遅れにより、**せっかく自動運転技術が普及しても、日本の自動車メーカーの存在感はほとんどない状況に陥る可能性が高い**のです。

遺伝子編集が「超人類」を生む

ビオブームとその対極にあるもの

僕が暮らしているフランスでは、もともとビオ（オーガニック）にこだわる人が多く、専門の店舗もたくさんあります。日本でも、有機無農薬野菜を扱うスーパーが手広く展開されるようになりました。

食品だけでなく、洗剤や化粧品など、少しでも自然の素材を使って健康的な生活を送ろうという人たちは、先進国を中心に増えています。そして、その多くが高収入層です。実際に、同じキャベツでも、ビオのものは一般品の倍くらいの値段がついています。

一方で、生活に余裕がなく、「安いものでないと買えない」という人たちもいて、彼らは値段の安い遺伝子組み換えの食品を選ばざるを得ません。

たとえば、遺伝子組み換え大豆はあちこちで使われています。スーパーでも味噌や醤油などの加工食品を中心に「遺伝子組み換え大豆が含まれる可能性があります」と表示された商品を見かけるようになりました。デフレが続く日本では、安さを求める志向がどんどん高まっているので、今後は多くの消費者から受け入れられるようになるでしょう。

しかしながら、こうした流れが加速すればするほど、「怪しい食品は嫌だ」とこだわる人たちも出ていきます。これからは、**ビオにこだわるお金持ちと、安さ優先で買っていく低所得者層という具合に、普段から口にするものも二極化が進んでいく**でしょう。

中国ではすでに実用化

さらに、遺伝子編集技術は、食べ物にとどまらず、人間に対しても積極的に行われるようになります。こちらは食べ物とは逆で、お金持ちほど関心を示すはずです。

たとえば、しわやたるみを取って若返る整形手術など、圧倒的に先進国のお金持ちがやっています。表向きは推奨されなくとも、ものすごいニーズがあるわけです。その手法が、従来のものから遺伝子編集に変わったとしても、ニーズに変化はないでしょう。

技術的にはすでに、遺伝子編集技術は実用化段階まで来ています。その中で存在感を急速に増しているのが中国です。

中国の研究者が、遺伝子を自由に改変できるゲノム編集技術を生かして双子の女児を誕生させたというニュースは、世界中に衝撃を与えました。国際団体から一斉に非難を浴び、研究者は懲役3年の判決を受けたものの、すでに3人目の遺伝子編集ベビーが誕生しているようです。

倫理観、道徳観は時代とともに変わる

僕自身、中国がいずれこうしたことをしてくるだろうと想定はしていたものの、実用化はまだ先だと思っていました。しかし、すでにパンドラの箱は開けられてしまい

ました。

ならば、その状況に則した対応をしなければなりません。先にも述べたように、遺伝子編集技術に関する中国のやり方を批判していても、それを利用する人はいます。

たとえば、妊娠段階でお腹の中の子どもが重篤な障害を持って生まれる可能性が高いとわかったとします。そのときに、中国の遺伝子編集治療を受けることで障害を防ぐことができるなら、お金持ちは1000万円でも1億円でも出すでしょう。また、そのお金持ちが日本人や欧米人だったとしても、中国に渡って、治療を受けようとするはずです。

こうして、遺伝子編集は中国の独占分野になり、技術もお金もどんどん中国に流れていきます。

僕自身は遺伝子編集治療を受けたいとは思いません。ほとんどの人が僕と同じ考えでしょう。

ただ、覚えておかなければならないのは、**人々の倫理観、道徳観は時代とともに変わっていく**ということです。

〝なし崩し的に〟浸透していく

日本では、出生前診断が一般的になりつつあります。この検査の目的は「胎児の状態を調べることで、適切な出産環境や生育環境を事前に準備すること」だとされています。しかし実際には、出産するかどうかを決めるために検査を受ける人がほとんどです。これを「命の選別」だとして倫理的に批判する人もいますが、障害のある子どもを育てる自信がないのに産むことが、常に最善だとは思えません。

国立成育医療研究センターなどの調査によると、出生前診断の件数は２００６年から２０１６年までの10年間で２・４倍まで増加しています。これだけ急激な増加をしているということは今まさに倫理観の変化が起きつつあるということです。

遺伝子編集に関しても、現状では批判的に捉える人が多数派でしょうが、出生前診断と同様に、必要とする人がいる以上、なし崩し的に浸透していくはずです。それにともなって倫理観も変化していきます。

専門家の多くは倫理的な問題を踏まえて、遺伝子編集技術をコントロールできる未来がやってくると信じているようです。

しかし、僕は、倫理観について議論することは無駄だと思っています。世界で足並みをそろえて、遺伝子編集のルールを設けようとしても、先ほど紹介した中国のように、どこか一つの国が抜け駆けをすれば、世界中から患者が殺到し、莫大な利益がもたらされるのです。発展途上国などの貧しい国がこの利益をすべて捨ててまでルールを守ってくれるはずがありません。

結局、**遺伝子編集技術は浸透し、お金持ちを中心に「遺伝子編集された人類」が誕生していく**でしょう。

自動翻訳の恩恵を受けるのは「英語を話せる人」

技術は急激に進化している

日本人が最初に未来について考えるきっかけは『ドラえもん』だと思います。「あのひみつ道具が実現したら……」と誰もが一度は空想したことがあるでしょう。数あるひみつ道具の中で、実現が近づいているのは「ほんやくコンニャク」です。さすがに食べ物ではありませんが、**自動翻訳技術はまさに日進月歩で進化しています。**

たとえば、グーグルのワイヤレスイヤホン「Pixel Buds(ピクセルバッズ)」は、スマホに接続させて使うと、会話している相手の言葉を自動的に翻訳してくれる優れものです。まさに「ほんやくコンニャク」を食べたときと同じ状態を実現してくれるのです。ただし、あくまでグーグルは翻訳が本業ではありませんし、まだまだ不完全な部分があります。

一方で、自動翻訳を本業としてやっているところも出てきています。その一つが

「Deep L（ディープエル）」です。こちらは、グーグル翻訳と比較してかなり精度が高く、結構使えるものになっています。

こうしたツールがどんどん進化していけば、世界中の言葉が瞬時に翻訳される時代もすぐにやってくるでしょう。そして、そういう企業をグーグルのような大手が買収することで、YouTubeの画面にも精度の高い同時翻訳の字幕が流れるようになるかもしれません。

「専門分野」に特化していく

Deep Lなども、今は一般向けに進化を遂げていますが、やがて、専門分野に特化したものも出てくるでしょう。

たとえば、「クレーム」という単語の持つ意味は、カスタマーサポート業界と知財業界では、まったく違います。そうした言葉を、すべて同列に訳してしまうとミスにつながります。

そのような混乱を避けるためにも、「医療系」「科学系」「流通系」「芸術系」……など、**さまざまな分野に特化した翻訳技術が発達していく可能性が高い**のです。

そうなれば、それぞれの専門家たちに役立つだけでなく、一般人が知的興味を持って学習することもできます。僕が、海外の医学専門書を読んでもいいわけです。

これまで、海外の知見に接するには、どんな分野であれ、まず「言葉の壁」がありました。日本人の場合、専門分野の学習前に語学学習が必要で、そのためにずいぶん時間を費やさねばなりませんでした。

これからは、それをスキップして、いきなり専門分野の知見に触れていくことができるようになるでしょう。

結局、「英語圏の人」が一番トクをする

ここまで、実現に時間のかかる夢のような話をしてきたので、現実的な視点から見た自動翻訳技術の未来について触れておきましょう。よく語られる予測として、「世界の公用語は英語だから、ビジネスなどにおいても、ずっと英語圏の人が利を得てきた。しかし、同時翻訳技術が進歩して、どんな言語の人とも話せる世界になれば、英

語圏以外の人がトクをする」というものがあります。

この予測は一見正しいのですが、実は技術が成熟するまではまったくの逆で、英語圏の人が一番得をします。翻訳機能の需要があるのは基本的に「どこかの言語を英語に変える」または、「英語をどこかの言語に変える」の二つです。たとえば、「日本語⇕インドネシア語」の翻訳などは、需要が低すぎて後回しにされます。

その結果、**英語圏の人ほど、多くの言語に変換できる完璧なツールをいち早く手にできる**のです。

実際、僕はフランス語を日本語に翻訳する機会がよくあるのですが、その際は、フランス語を一度英語に変換して、その英語を日本語に変換しています。なぜなら、一度英語を挟んで翻訳したほうがきれいな日本語訳になるからです。

最終的に完璧な自動翻訳が完成すれば、英語圏以外の人が得をするでしょう。しかし、10年から20年後というスパンで見ると、結局英語圏の人にとって使いやすいテクノロジーとなってしまうのです。

ビッグデータは「力技」ができる企業が独占していく

あらゆる場面で活用されている

インターネットの情報流通量の激増については0章で触れました。それにともない、データの蓄積量も急激に増えています。これがいわゆるビッグデータです。ビッグデータは「Volume（多量）」「Variety（多様）」「Velocity（速度）」の3つの「V」に特徴があり、つまりは総量も種類も多く、作成スピードが速いデータのことをいいます。ウェブサイトデータ、SNSデータ、カスタマーデータ、オフィスデータなど、あちこちに蓄積された膨大なデータの分析が、ICT（情報通信技術）の発展で容易になり、さまざまな場面で活用できるようになっています。

企業活動はもちろんのこと、災害対応などにも生かされています。たとえば、2011年の東日本大震災では、当時の携帯電話やカーナビの位置情報、あちこちでつぶやかれたツイッターのデータなどが「震災ビッグデータ」として分析され、震災の全貌を明らかにしたり、今後の対策検討に役立っています。

いずれにしても、**いかにほかに先んじてビッグデータを手にするかは、国や企業にとって非常に重要なテーマ**であることは間違いありません。

しかし、日本はすでに後れを取っています。

たとえば音声認識。アップルの「Siri（シリ）」やアマゾンの「Alexa（アレクサ）」など、音声認識技術はすでに、僕たちの生活に欠かせないものとなっています。

日本企業も１９６０年頃からすでに音声認識の開発に着手しており、かつては先頭を走っていた時期もありました。でも、今はその影もありません。

その大きな理由に、ビッグデータの蓄積に弱かったことがあります。

アップルやアマゾンのように、世界中に膨大なデータを持っている企業がＡＩに分析を行わせるようになって、格段に音声認識の精度が上がりました。

それに対し、マイナーな日本語圏という弱みに加え、お金をかけてデータを集めまくることができなかったために、蓄積量で勝負がついてしまいました。

データ収集は「すごく地味で、すごく手間」

実は、**「データを集め、整える」のは、想像以上に大変でお金がかかる作業**なのです。

ある学会で、ＡＩがイヌやネコの画像を間違えてウサギと認識してしまった事例が発表されました。その原因はＡＩに覚えさせる段階にありました。

「イヌ」や「ネコ」などとラベリングした動物の写真をたくさん読み込ませ、「これはイヌ」「これはネコ」とＡＩに学習させていくわけですが、そもそものラベリングが間違っていたのです。

ラベリング作業は低賃金で行われていることが多く、やる気のない労働者が適当にラベリングした結果、誤りだらけのデータになってしまったというわけです。

データの精度を高めるには、高い人件費を払って、根気よくラベル付けを進めていくしかありません。なので、これからも**アップルやアマゾンのように「力技」ができる企業がビッグデータを独占していく**という、日本にとっては面白くない展開が続きそうです。

僕は著書や取材で語ってきたように「最小限の努力で生きる」ことを何より重視しているので、こんなめんどくさいことは絶対にやりたくありません。僕が今後ＡＩを活用していくとしたら、体力もお金もある企業にデータをつくってもらって、それを利用する形にしたいと思っています。

「慎重さ」で置いていかれる

もう一つ、日本企業が後れを取る理由として、その慎重さが挙げられます。

そもそも、新しい技術を活用する場面では失敗もつきものです。

以前、アマゾンのAlexaが搭載されたアシスタント端末「Echo（エコー）」が、テレビの声を間違って認識し、その家に頼んでもいない荷物が届くという事件がありました。そんなとき、アメリカでは謝罪して荷物の代金を支払えばそれでおしまいです。

新しいことについてアメリカ社会は「とりあえず進めてみて、不具合があれば直せばいい」というスタンスだから、みんな怖がらずにチャレンジができるのです。

一方で、日本では「あいつは失敗した」とレッテルが貼られてしまい、再挑戦がしづらい社会なので、どうしても消極的になります。

こうした**日本企業の及び腰は、ビッグデータを集めるうえでも不利になっています。**

多くの人が使っているGメールにはメールの内容に応じた広告が表示されます。これはグーグルが個人のメールの内容を把握しているからです。しかし、日本企業は、プライバシーの侵害だと追及されることを恐れ、こうしたことはできません。

実際、日本のあるベンチャー会社が、生活費月20万円を支給する代わりに、被験者宅へカメラを設置し、1カ月の生活データをすべて収集するというプロジェクトを発表したときには、「貧困ビジネス」だとして、大きな批判にさらされました。被験者に事前に実験内容を知らせ、収集したデータは参加者個人を特定できないように加工されるので、僕自身は倫理的に問題なく、とても面白い試みだと感じました。しかし、世間はそれを許さずに炎上状態となりました。

ユーザーが気づかないうちにデータ収集を行うグーグルと、きちんと開示したうえでデータを集めようとした日本のベンチャー企業。どちらが誠実なのかは明らかですが、炎上したのは後者でした。この反応を見る限り、**ビッグデータを活用する日本企業は今後も生まれてこない**と考えたほうがよさそうです。

「無人店舗」より「省力店舗」が増える

すでに実現可能段階

僕は無駄遣いが嫌いなので、ほとんど外食をせず、結構自炊をします。それで、近所のスーパーなどにもよく買い物に行くのですが、最近セルフレジを導入する店が増えてきているのを感じます。

コロナ禍で接触を避ける生活様式が求められていることも、導入に拍車をかけているのでしょう。そうした流れを受けて、これからは無人店舗がどんどん増えてくると言う人がいます。

たしかに無人店舗はすでに実現していて、一例を挙げると、アマゾンが発表したレジなし食料雑貨店の「アマゾンゴー」というシステムがあります。

入店時に店の端末にＱＲコードを読み込ませておけば、あとは好きな商品をそのまま自分のバッグに入れてＯＫ。自動計算された代金は、後日ネット決済されます。

アマゾンゴーが画期的なのは、ディープラーニングによる映像認識を用いたことにあります。映像で、そのお客さんがどんな商品を手に取りバッグに入れたかが管理できるようになっているのです。

このように、**世界的に見ても小売業界では、最新のＩＴ技術を駆使した次世代の動きが次々と出てきています。**

「ＲＦＩＤ（Radio Frequency Identification）」という技術を知っているでしょうか。これは、電波通信によってモノを識別・管理するシステムのことです。スキャナーから電波を飛ばし、その電波の届く範囲にあるタグを一気に認識することができます。商品ごとにこのタグをつければ、一つひとつバーコードを読み取ることなく、スキャナーをかざすことで一気に読み取ることができます。

この技術はすでに実用化されていて、身近なところでは「ユニクロ」などで使われています。ユニクロで会計をする際に、商品の入ったかごをレジの横に置くだけで、合計金額が表示され、驚いた人も多いのではないでしょうか。これは、商品ごとにＲ

FIDのタグをつけることで、瞬時にかごの中の商品をすべて読み取れるようになっています。

これからは「＋αの仕事」が求められる

ここまで見てきたように、無人店舗を実現するためのテクノロジーはすでにそろっています。しかし、無人店舗は技術的には可能でも、そこまで増えていかないというのが僕の見立てです。それより、**「極限まで省力化した有人店舗」が中心になっていく**はずです。

有人店舗の利点は「店員さんに相談できる」ことです。たとえば、アパレルショップでは店員さんが相談に乗ってくれたり、サイズの交換などもすぐに対応してくれたりします。一方、無人店舗では、こうした利点がなくなってしまうため、「ネットで買えばいいか」と思われてしまいます。つまり、無人店舗は有人店舗とネット店舗の間に位置する中途半端な存在なのです。

また、先ほど紹介したRFIDも、タグの認識エラーが生じたときに、そこに店員さんがいればすぐに解決することなのに、無人店舗だとお客さんが自分で対応しなければなりません。さらに、商品の破損など、お客さんがトラブルを起こしたときにどうするのかという問題もあります。

結局、「お店には店員さんがいたほうがいいよね」という流れになるはずです。RFIDを活用したセルフレジなど、省力化による人件費削減は積極的に進めつつも、無人店舗にはせず、必要最低限の店員さんを置くというお店が増えていくのです。

そうなってくると、店員さんに求められる資質も変わっていきます。まず、単純作業をするアルバイトの需要は極端に減ります。その反面、商品の知識があり、お客さんの相談に乗れたり、トラブルに対して的確な対応ができたりなど、**「＋αの仕事」ができる人は重宝されるようになる**でしょう。

ＶＲとＡＲ　世界を変えるのはどっち？

ＶＲは「エンタメ」に特化

ソニーの「プレイステーションＶＲ」が一般向けに販売されたり、「ドラゴンクエストＶＲ」などを楽しめる施設が増えたり、僕たちの生活に、ＶＲ（Virtual Reality）はすっかり定着しつつあります。

ちなみに、ＶＲは「仮想現実」で、クローズドなスクリーンに非現実をいかにも現実のように投影するものです。ＶＲゴーグルなどをかけて、目の前がすべてバーチャル空間の映像になります。

一方、ＡＲ（Augmented Reality）は「拡張現実」と訳され、現実世界にＣＧなどを映し出す技術です。一大ブームを巻き起こしたスマホゲーム「ポケモンＧＯ」は、Ａ

Ｒの走りと言えます。僕も最近、ＡＲ技術を使ったバーチャルアバターでYouTubeの配信をしてみました。表情がわかるアバターを選んで、できるだけ通常の顔出し配信と同じ感じにしましたが、視聴者の意見は圧倒的に「顔出しのほうがいい」でした。VTuber（バーチャルYouTuber）のように最初からアバターありきで活動するならまだしも、僕のような顔を出していた人間が声だけで視聴者を満足させるのは難しいみたいです。

最近のＶＲでは、触覚などの感覚もつかめるようになってきているし、映像は８Ｋレベルの解像度だと現実か映像かの区別もつかなくなるくらいで、どんどんリアリティが増しています。

今後はゲームに限らずさまざまな娯楽分野で、ＶＲを活用した商品やサービスが増えていくことでしょう。たとえば、わざわざお金と時間をかけて海外旅行に行かなくても、ＶＲで現地にいるのとまったく同じような光景が目にできるようになります。

ただ、**ＶＲはエンタメやゲームの枠を超えることはない**ように思います。一部、飛行機などの操縦訓練に用いられているなどの例外はあるものの、「遊び」方面に特化していくのは間違いないでしょう。

なぜなら、ＶＲはあくまでつくられた世界に入り込むものだからです。その世界の中で何をしても、現実には何も影響を及ぼしません。つまり、僕たちの日々の仕事や生活を変えるきっかけになりにくいのです。

ＡＲは医療分野などでも期待

一方、**ＡＲは、現実世界にＣＧを投影するという性質上、娯楽分野にとどまらず、さまざまな可能性を秘めていそう**です。

マイクロソフトが手がけている「ホロレンズ」は、現実とバーチャルを融合した複合現実の世界が体験できます。

たとえば、医師がＣＴスキャンのデータを３次元で見るということも可能です。

頭にかぶるヘッドマウントディスプレイ型に限らず、目の網膜に直接投射する網膜投影型もあり、用途によって使い分けられていくでしょう。

日本航空は、エンジニアの研修にこの技術を用いているようです。具体的には、ＡＲレンズのメガネを通してエンジンを見ることで、そこに分解手順のテキストが表示されるイメージです。

こうした技術は、決められた手順操作を間違いなくこなしていくことが求められるビジネスで、ひっぱりだこになりそうです。

ただ、ホロレンズは業務用が販売されているものの、まだ普及台数が少ないのでソフトメーカーにとって参入の壁があります。便利なソフトがいろいろないと、一般人が使いこなすまでになりません。

今後、家庭用のホロレンズがどの程度の価格帯で発売されていくか、注目したいところです。

とはいえ、ARの技術そのものはすでにさまざまなところで使われています。グーグルレンズで英語のテキストを見ると自動翻訳されるのも、一部のカーナビでフロントガラスにナビの情報を表示するのも、ARです。

さらには、撮影した画像の目を大きくしたり、かわいくしたり「盛れる」のも一種のAR技術です。あえてAR技術によるものだと言わないだけです。

このように、**ありとあらゆる分野でARによる変革が今後もどんどん起きていく**でしょう。

オンライン診療に「5G」はいらない

オンライン診療は「有線」で十分

0章でも述べたように、僕はずっと「5Gの活用範囲は思ったより狭い」と主張してきました。実際、5Gを利用した製品やサービスはほとんど増えておらず、多くの人にとって5Gは「都会でスマホを見ると、たまにつながっているもの」でしかないでしょう。

そんな5Gの活用法としてよく言われているのが、オンライン診療です。

いわく、5Gには「多接続」「低遅延」という特徴があるため、遠隔手術支援も可能になり、たとえば、手術室にあるさまざまな器機をネットワークで接続し、現在の患者さんの患部の状態、血圧や心拍数といった数値、撮影済みの画像などさまざまなデータを遠隔地に同時進行で送り、それを腕の立つ専門医が見ながら、手術室の医療スタッフにアドバイスすることもできる。

このように、5Gについて、世の中は過剰に評価していますが、結局のところ無線であることに変わりはなく不安定です。遠隔治療の最中に通信が途絶えてしまったら患者さんの命に関わります。

だったら、**オンライン診療においては、普通に光ファイバーでつなぎ、有線で通信を行ったほうが効率的**です。ほとんどの病院は光ファイバーを引いているでしょうから、新たな設備投資も必要ありません。

5Gのような新しい技術が生まれたときに、「なんとしてもそれを取り入れさせよう」とする人がいますが、「有線でいいんじゃない?」と冷静な判断をしなければなりません。

「導入できないルール」になっている

5Gに頼らずとも、現状のネット回線で十分実現可能なオンライン診療ですが、日本ではいまいち導入が進んでいません。

しかし、今後は状況が変わるという見方もあります。コロナ禍が外圧となり、接触の必要がないオンライン診療が一気に浸透するのではないかというわけです。たしかに導入の理由付けがあれば、急激に普及していくというのは自然な流れにも思えます。

でも、僕はこの見方を疑問に思っています。たとえ技術的に可能で、導入の理由があっても、制度に問題があるからです。

現在、オンライン診療の診療報酬は対面の半分程度に抑えられています。しかも、病院はオンラインで診療するための投資費用がかかるので、「報酬は安いのに、コストはかかる」という状況になっています。これでは、病院が積極的にやりたがらないのも当然です。

実際、2021年現在、オンライン診療の登録をしている病院などの医療機関は約15%にとどまっていて、前年からほとんど増えていません。この推移を見る限り、**「コロナ禍だからオンライン診療が浸透する」という予測は間違っている**と言えそうです。

診療報酬を定めているのは、厚生労働省の諮問機関である中央社会保険医療協議会です。

行政側が「導入を妨げるようなルール」を設定している以上、日本でオンライン診療を気軽に受けられる日はなかなか来ないでしょう。

「慌てて導入」の流れになる

自分の手で、日本中に点在する患者さんを助けたいという殊勝な人を除いては、オンライン診療に取り組むメリットをあまり感じていない医療者が多いのではないでしょうか。

もし、今後病院の経営が苦しくなって患者さんを取り合うような事態になれば、医療者のスタンスも変わってくるでしょう。現に、かつてはどこも混み合っていた歯科医は、増えすぎて過当競争に陥り、生き残りをかけて美容歯科などさまざまなサービスを提供するようになっています。

日本では今後人口が減少し、地方を中心に過疎化が進んでいきます。オンライン診療がなくては医療体制が維持できなくなる日が来ることは間違いありません。

今は制度設計の遅れからなかなか利用率が上がっていませんが、**医療体制崩壊直前になって、慌てて見直しが行われ、「オンライン診療推奨」の流れに舵を切ることになる**でしょう。

監視社会が人を「道徳化」させる

インターネットは「監視」しやすい

ＳＮＳの爆発的な普及にともなって、コミュニケーションコストが下がった反面、お互いがお互いを監視し合う社会になってきています。

ホテルやレストランなどのサービス業は、何かあるとすぐにＳＮＳにアップされて批判を受けるから、どこも愛想よく振る舞っています。

個人レベルでも〝お行儀〟がよくなっています。最近、僕がツイッターで何かつぶやくと、その内容がそのままニュースになるのですが、これはＳＮＳで思ったことを言う人が少なくなっているからだと思います。ネット黎明期は実名で好き勝手な発言を繰り返す人が大勢いましたが、そういう人が減った分、僕が目立っているのでしょう。ただ、キングコングの西野亮廣さんの印象をつぶやいただけで記事になったのは、さすがにやりすぎな気もしますが……。

監視社会でまともな人が増えているとも言えるのですが、その行き着く先は中国のような統制社会ではないかと僕は危惧しています。

中国では、インターネットで「クマのプーさん」に関する投稿をすると、すぐに削除されます。国家主席の習近平（シージンピン）氏がプーさんに似ていることが話題になって以来、ネット上で「禁句」扱いだそうです。

そこまでひどくなくても、日本でも欧米先進国でも、一定の限度を超えた書き込みは削除されます。つまりは監視されているわけです。

それに、使用しているパソコンのＩＰアドレスなどから照会をかければ、契約者情報を割り出すこともできます。

そういう前提がある以上、**「インターネットはもともと監視体制が整っている」**と考えたほうがいいでしょう。

監視体制が整っているということは、僕たちが望みさえすればすぐに厳しい監視社会がやってくるということです。

「自分を監視してほしい」と望む人はほとんどいないでしょう。しかし、「性犯罪者の再犯防止のために、出所後、位置情報を追跡できるGPS装置をつけさせる」というのなら賛成する人がいるのではないでしょうか。そうやって賛成が得られそうなものから少しずつ導入していけば、あっという間に、監視社会ができ上がります。

「信用スコア」の時代はやってくるのか？

監視社会と併せて、最近よく耳にするようになった「信用スコア」。一言で言えば、僕たち一人ひとりの信用度を、点数化する仕組みです。

これまでも、クレジットカードを申請したときに、その人の支払い状況などの信用情報をカード会社が共有するシステムはありました。

信用スコアはさらに進んで、個人に関する属性はもちろんのこと、購買履歴や支払い履歴、ＳＮＳの使用履歴など、より細かく「その人の傾向」について情報を蓄積し、ＡＩがスコアを算出します。

中国ではすでにずいぶん普及しており、アメリカでも一部導入が進んでいます。スコアが低い人にとってはやりにくい世界となりますが、高い人にとってはさまざまなサービスが受けやすく、利便性が増します。また、サービスを提供する企業サイドにとっても、料金の未回収などのリスクが避けられ、ウィンウィンの状態が築けるわけです。

では、日本ではどうでしょう。すでに始動はしています。日本では、みずほ銀行とソフトバンクの共同出資による「J.Score（ジェイスコア）」を皮切りに、いくつかの組織が取り組みを始めました。

しかし、**日本ではなかなか信用スコアは浸透していかない**でしょう。なぜなら、日本国民のほとんどが使っているような利用者の多いサービスが存在しないからです。信用スコアは「いかにたくさんの利用者を集め、スコアの精度を高めるか」がカギになります。

中国のアリババが提供している「芝麻（ジーマ）信用」は、「アリペイ」というＱＲ決済サービスにひもづける形で利用者を急速に増やしました。アリペイのユーザー数は十数億人を超えていて、彼らの多くが芝麻信用も利用しています。利用者が多ければ、スコアの信頼性も高くなり、新たな利用者も獲得できる。そうした好循環で、どんどん普及していったのです。

一方、日本ではそこまでたくさんの利用者を抱えているサービスがありません。みずほ銀行口座を持っている人と、ソフトバンクのスマホを利用している人を合わせても、アリペイの利用者数には遠く及ばないでしょう。そのため、**日本発の信用スコアは中国ほどの広がりは期待できない**のです。

Chapter

2

経済

「日本の財布」はもう限界

「年金は払う」ほうが将来トクをする

「年金はもらえない」の嘘

ネット記事などで「年金は損するから払うな！」と書かれているのをよく見ます。なぜか僕も「年金払うな側」の人間だと思われがちなのですが、**僕のスタンスは「年金は払っておいたほうが将来トクをする」です。**年金は意外と、優秀な金融商品なのです。

年金ではなく、投資などで貯蓄を増やしていこうとすると、給与から税金を天引きされた残りが原資になります。一方、年金だと、まず給与から年金の保険料分を差し引き、そこに税金がかかります。つまり、税金の徴収額が少なくなる分、年金のほうがトクをするのです。

また、今の若者世代であっても、おおよそ支払った分くらいの年金はもらうことができます。みずほ総合研究所が出したデータによると、1995年生まれの人が平均余命まで生きたときの国民年金支給額は支払った分の1・2倍から1・5倍です。また、厚生年金であれば、支払い分の2倍以上を受給することができます。

こうやって年金の仕組みやデータを見ていくと、「年金はもらえないから払うと損をする」という発言は間違っていることがわかります。

自分自身で老後予算をすべてつくり出せるカリスマ投資家以外は、しっかり年金を払っておいたほうがいいのです。

でも、それだけでは暮らせない

ただ、勘違いしてほしくないのですが、「年金だけで暮らせる」と言いたいわけではありません。**年金はある程度もらえますが、生活費すべてをまかなうほどの額にはならない**でしょう。

元金融担当大臣の竹中平蔵さんが、ネットで持論を展開し炎上したことがありました。そのときの竹中さんの発言内容はおおまかに以下のようなことです。

「今の日本の問題は、老後は国が支えてくれると国民が思い込んでいること」
「年金で高齢者全員を生活させるのは無理」
「生きる分のお金は自分で用意しなければダメだ」

これ、竹中さんが自分の願望を述べたわけではありません。ただの事実を伝えただけです。僕もまったくその通りだと思っていますし、ちょっと考えれば当たり前のことなのです。

もともと日本の年金制度は、将来の自分の分を自分で用意する「積立方式」ではなく、「賦課（ふか）方式」を取っています。賦課方式とは、お金を稼いでいる現役世代が、年金受給世代の必要とする分を国に納めるというものです。

実は、このシステムが考え出された当時、日本人の平均寿命は約66歳。60歳で定年を迎えてからの数年間を暮らせるように、というレベルだったのです。

ところが、今は80歳過ぎまで生きるのが当たり前になって、年金を受け取る年数が長くなりすぎています。また、多くの人が長生きすることで、年金受給者の絶対数も増えます。

一方で、これから現役世代の人数は減っていくわけです。となれば、**年金制度が誕**

生したときのような役割をずっと果たすのは無理に決まっています。

ちなみに、制度疲労を起こしているのは、介護保険も同様です。

自治体は3年ごとに介護保険事業計画の策定および見直しを行うことになっていますが、そのたびに保険料が跳ね上がっています。

２０００年には２９１１円だった全国平均の保険料は、20年後の２０２０年に６７７１円にまでアップしています。そして、それから5年しか経たない２０２５年には８１６５円にまで上昇すると見込まれているのです。

介護保険は「65歳以上の高齢者または40歳から64歳の特定疾病患者のうち介護が必要となった人を社会全体で支える仕組み」とされています。そのため、40歳になると加入が義務づけられ、保険料の支払いが生じます。

実際には、40代、50代で介護が必要となるケースはまれでしょうから、ここでも年金制度のように、働き盛りの世代が高齢者を養うという構図が生まれます。

しかしながら、今後さらに高齢者が増えていくことを考えれば、介護保険制度の維持は非常に困難だと言えるでしょう。

「老後2000万円問題」とは何だったのか？

日本の人口構成は、1950年頃の理想のピラミッド型から、上から下に向けてだんだん細くなっていく形に変化していきます。NHKのドキュメント番組では「棺桶型」などと言われていました。意味深なネーミングですね。

人口構成を見る限り、今の現役世代が年金受給世代になったときには、もはや資金の出所が足りないのは明らかです。政府ももちろん、それはとっくにわかっているから、たびたび年金の受給年齢を引き上げるなどの見直しを行っています。

また、竹中さんが口にしたような「事実」を少しずつ国民に見せ、自立を促したりもしています。

「老後2000万円問題」はその典型です。年金制度に不安はあるけれど、そこで思考停止していた多くの国民は、ある日突然「老後に夫婦2人が生活していくためには、2000万円の貯金が必要です」と言われて大きなショックを受けたわけです。でも、まともに計算していた人には「何を今さら」という感じでしょう。

2000万円という数字の根拠は、総務省の「家計調査（2017年）」における高齢夫婦無職世帯（夫65歳以上、妻60歳以上）をモデルケースに算出されています。

このモデルケースの場合、年金を中心とした収入が20万9198円、支出が26万3717円で、毎月約5・5万円の不足が出ます。そこで、あと30年生きるためには以下が必要だというわけです。

月5・5万円×12カ月×30年＝1980万円

つまるところ、今の現役世代は（あるいはさらに若い人たちは）、自分の老後のために、徹底した準備を自分で整えなければならないのです。

もっとも、これは日本だけの問題ではありません。どの国に住んでいようと、お金がなければずっと働き続けなければなりません。北欧や中東の豊かな一部の国を除いて、どこも同じようなものです。

年金はあくまで生活の一部を支えてくれるもの。足りない部分は自分たちで用意しなくてはいけない。こうした考え方にシフトして、今のうちから備えをしている人だけが、数十年後、幸せな老後生活を送れるのです。

貧乏な若者と裕福な若者

残酷すぎる格差

若者たちは耐えられなくなる

ここ数年、「貧乏な若者、裕福な高齢者」という構図がメディアでよく取り上げられるようになりました。残念ながら、これから**「大多数の貧乏な若者、一部の裕福な若者」**が新たに加わります。

金融広報中央委員会の「家計の金融行動に関する世論調査」（２０２０年）によれば、20代の平均貯蓄額は１１３万円。これだけ見ると「なかなか堅実に貯めているな」と感じるでしょうが、少ない順から並べてちょうど真ん中にあたる「中央値」ではたった８万円です。

20代の半数は貯金８万円以下なのに、平均貯金額は１１３万円。これが意味するのは、ほとんど貯金のない大多数の人と、しっかり貯金できている少数の人に二極化し、若者の間でも格差が広がっていっているということです。

また、今は高度経済成長期のように、大企業に入れば自然に給料も上がっていくというような時代ではありません。世の中の変化は年々激しくなっていて、「ここに就職できれば安心」といえるような長期的安定が約束された企業など存在しません。

そういう環境にあって、優秀な人はどんどん新しいことを始め大金を稼いでいきます。一方で、大半の凡庸な人は少ない給料しか手にできず、また身分も不安定なまま、食べていくのが精一杯という生活を余儀なくされています。

僕はこうした未来がやってくることにずっと前から気づいていたので、**「生活コストを上げないで幸せに暮らそう」**と主張してきました。僕がよく使う「舌を肥やすな、飯がまずくなる」という言葉はまさにこのことを表しています。言い始めた当初はほとんど反響がなかったのですが、今では多くの人が僕と同じような生き方を提唱しています。

コロナ禍により、困窮する人がますます増えてくることは確実なので、今の現役世代は「誰もが貧乏予備軍」です。将来お金のことで苦労したくなければ、特上カルビ

３００円ではなく、３００円の牛丼で満足できる感覚を持っておいたほうが幸せになれると思います。

大卒でも正社員になれない

今はお金に困っているような若者たちも、これまで努力してこなかったわけではありません。むしろ、車も持たずに倹約生活を送ってきました。実際に、今の大学生の5割以上が奨学金を受け取って学費を工面しています。

そんな彼らは、大学を卒業して就職した時点で３００万円近くの借金を背負っています。だからといって就職しても多くの給料をもらえるわけではなく、正社員にすらなれないかもしれません。

実際に、非正規雇用の労働者は増え続けていて、２０１８年時点で２０００万人を超えています。これからさらに増え続けるでしょう。

若いお金持ちをターゲットとした高級店が開店する一方で、多くの若者はファミレスや居酒屋すら「高い」と感じています。その証拠に、コンビニで買ったお酒を道端や公園で飲む若者が増えています。この現象を、コロナ禍ならではのものと判断したら間違いです。

同世代間の格差は、これまでの「若者／高齢者」という構図と比べて、より残酷だといえます。学校で同じクラスだった友達が自分の何十倍も稼いでいる。その事実はつらい状況にいる若者たちをとことん追い詰めていきます。

「寝そべり族」が誕生

日本よりも格差が広がっている中国では、興味深いムーブメントが起こっています。**若者たちの間で「寝そべり族」が増えてきている**のです。結婚もせず、車も買わず、生きていくのに必要な最低限の仕事しかしない。それ以外の時間はとにかく寝そべる。彼らはその名の通り、「寝そべる生活」を送っています。

いくら履歴書を送ってもまったくうまくいかない就職活動や、働いても働いても楽にならない暮らしに疲れ果てた人たちが競争社会から降りて、「寝そべり族」となっているようです。

サラリーマンとしてそれこそ24時間猛烈に働いてきた日本のおじさん世代からすると、彼らの考え方は少しも理解できないでしょう。しかし、先ほどデータを示したように、**日本でも若者間の格差が広がっているので、近いうちに「寝そべり族」が出てくる**のではないかと思います。

大企業に就職し、スーツに身を包んで高層ビルに向かう若者と、ほとんど仕事をせずに、安いTシャツを着て公園に寝そべる若者。そんな対照的な光景を日本でも目にする日が来るでしょう。

税金で高齢者を養う社会

孤独な高齢者の増加

「無敵の人の増加」――僕が10年以上前にブログで警鐘を鳴らしたことが現実になりつつあります。無敵の人とは、「職や財産、社会的信用がないため、刑罰を受けることをリスクだと思わずに、犯罪に手を染めてしまう人」のことを指します。最近、この定義に100%当てはまる人が凶悪犯罪を相次いで起こしたことで、無敵の人という言葉も記事などで引用されるようになってきました。

今は、社会に絶望している若者が無差別殺人事件を起こした際に「無敵の人事件」だと言われていますが、今後は少し状況が変わります。**「社会に居場所のない無敵の高齢者たちによる軽犯罪」が増えていく**のです。

高齢者といえば、孫に囲まれてニコニコしている優しいおじいちゃん、おばあちゃんというイメージがあるかもしれませんが、それは過去のものです。

「犯罪白書」によると、近年の高齢者の再犯率は、非高齢者よりも高くなっています。窃盗または万引きをした70歳以上の人の再犯率は5割以上です。つまり、半分の人が社会に戻っても再び犯罪を起こしてしまうのです。

「無敵の存在」になっていく

高齢者の再犯率が高くなっているのは、現役世代に比べて、「無敵の人」になりやすいからです。無職で年金も十分にもらえず、社会的な居場所もない高齢者は大勢います。彼らがみな犯罪を起こすというわけではないですが、なかには無敵の人予備軍である人たちもいます。

家族や仕事、お金など、大切なものがたくさんある現役世代は、よほどのことがない限り犯罪には手を染めません。でも、失うものがなければ、犯罪のハードルは驚くほど低くなってしまいます。

堀江貴文さんが刑務所で過ごした経験を語ってくれたところによると、なかには「刑務所のほうがいい」とわざと犯罪を繰り返している人もいるのだとか。

たしかに刑務所なら、自由はないけれど3食温かいご飯が食べられて寝る場所もあります。病気になったら無料で治療も受けられます。言ってみれば、衣・食・住が保障される施設なわけです。

居場所もお金もない高齢者が、刑務所に集まってしまうのも無理のない話なのかもしれません。もちろん、裁判システムも刑務所運営も、税金によって維持されています。となると、**現役世代がそうした高齢者を食べさせている**ともいえます。日本ではこれからどんどん高齢者の数が増えていきますから、ますます現役世代の負担が増えていくことになります。

孤独問題解決が急務

無敵の人となってしまう高齢者を減らすにはどうすればいいか。これも僕がずっと主張してきたことですが、「孤独な人を減らす」ことが必要だと思います。

イギリスでは孤独担当大臣のポストが正式に設けられました。日本でも、2021年に入って、少子化担当大臣が「孤独・孤立対策」担当大臣も兼務するようになりました。

人口の構成は国の根幹に関わる問題です。少子化も高齢者の孤独も、その大問題を扱うわけですから、はたして兼務でいいのかという疑問は残りますが、動き出したこと自体は歓迎できます。

高齢者向けの社会保障ばかり充実させて、現役世代をないがしろにしているという不満はあるでしょうが、**「高齢者の孤独」は社会全体の大問題と捉えるべきです。**無敵の人となった高齢者が次々犯罪を起こせば社会が混乱しますし、刑務所に入ってくれば、余計な税金がかかってしまうのです。

現金至上主義からの転換

「治安がいい」から現金でいい

先日、久しぶりに日本に帰ったときに、電車に財布とパソコンと家の鍵を置き忘れてしまいました。フランスだったらまず間違いなく返ってこないので、途方に暮れていたのですが、親切な人が埼玉の大宮駅に忘れ物として届けてくれ、なんと全部そのまま戻ってきました。あまりのうれしさに、埼玉を「ださいたま」と言うのをしばらく自粛することに決めました。

日本の治安のよさと日本人の親切さを身をもって体感したわけですが、**「これだけ安心して暮らせる国だとキャッシュレス化が進まないのも仕方ないな」**とも感じました。

僕の住むパリではキャッシュレス化が進み、市場やパン屋などでのちょっとした買い物以外では現金はあまり使いません。これは便利だからというのももちろんありますが、防犯上現金を持ち歩きたくないという理由もあります。

パリは特別治安が悪い街ではないですが、それでもスリやひったくりは日常的に起こります。だから、現金を持ち歩かなくて済むキャッシュレスは需要が高いのです。また、お店も現金を置いておくと強盗に遭うリスクがあるので、キャッシュレスでの会計を推奨しています。

しかし、日本では、スリやひったくりどころか、落ちている財布がそのまま戻ってくるくらいですから、防犯上の理由でキャッシュレスを始める人がいません。街でも現金で会計をしている人を多く見かけますし、店側も現金しか使えないところがあります。

113ページのグラフが示すように、**日本の現金主義は顕著です。**お隣の韓国でほぼ100％近いキャッシュレス化が進んでいるのに、まだ日本では2割にも満たないのですから。

「別に現金主義で困らない」と考えている日本人が多いのでしょうが、国としては問

世界のキャッシュレス比率（2016年）

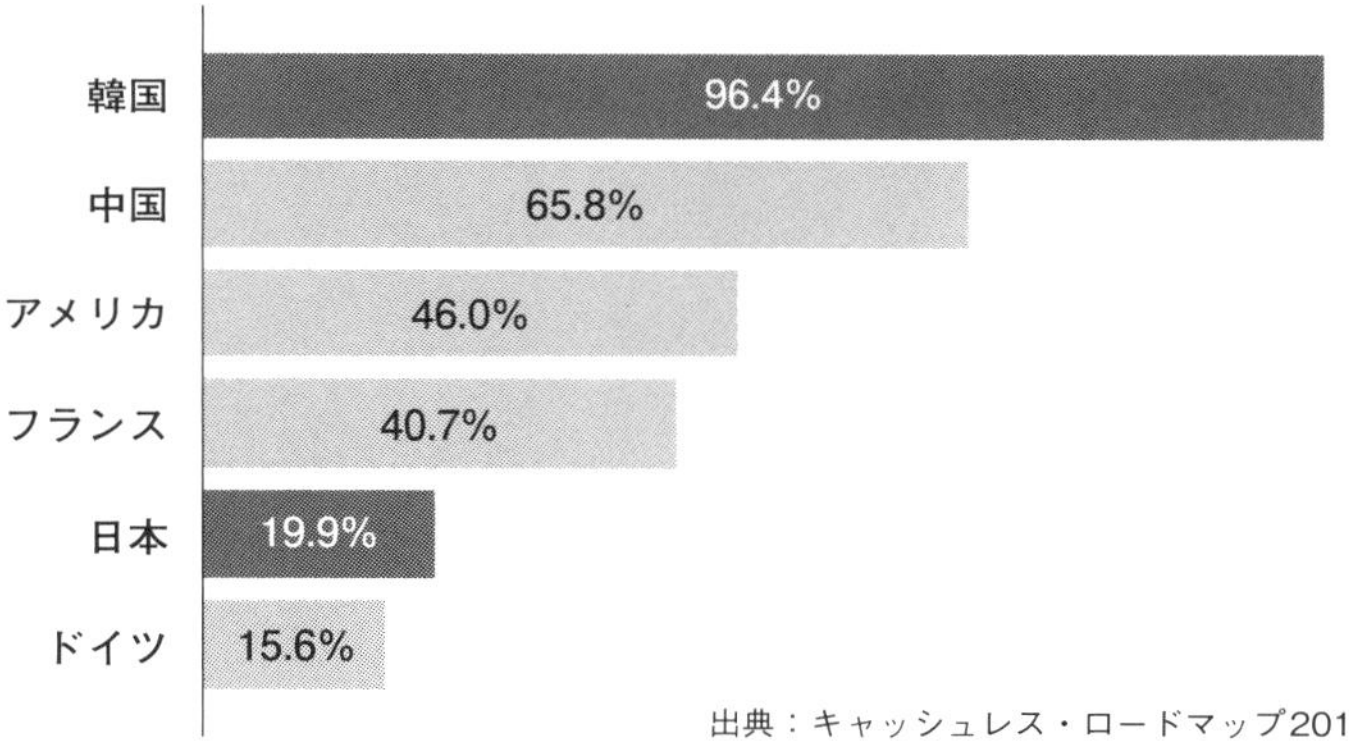

出典：キャッシュレス・ロードマップ2019

題です。

訪日外国人旅行者の意識調査で、「日本で外貨両替やクレジットカード・キャッシュカードを利用できる場所が、もし今より多かったら、もっとたくさんのお金を使ったと思う」という答えが7割ほどを占めているのです。

つまり、支払い環境が整っていないことで、インバウンドで落ちるはずだったお金を、みすみす失っているわけです。

「悪いことをしたい」から現金がいい

また、逆に「現金社会でないと困

る」人がいます。お金を使って悪いことをしたい人です。

２０１９年に買収事件を起こした元法務大臣はその象徴だといえます。元大臣は、妻の選挙活動の際、地元議員など１００人に合計２９００万円を配ったとして、懲役３年の実刑判決を受けました。最後は起訴内容を全面的に認めたものの、当初は疑惑を真っ向から否定し、無罪を主張していました。

疑惑を否定していたのは、お金のやり取りが「現金」で行われたからでしょう。現金だと、実際にお金の動きがあったかどうかの確認は困難を極めます。今回は額が大きかったため、証拠や証言が出てきましたが、少額の場合は当事者間で口裏を合わせればまず間違いなく表ざたにはなりません。

一方、キャッシュレスであれば、すべてのお金のやり取りが記録に残るので、たとえ少額でも不正はすぐに発見できます。もし、後ろめたいことが何一つない人であれば、あらぬ疑惑をかけられないように、キャッシュレスを積極的に導入するはずです。

つまり、この元大臣のように、**悪事が露見しないよう、現金でのやり取りを望んでいる人たちがいる**のです。

機会があれば変わる？

コロナウイルスの流行で接触を避ける生活様式が広まってきていることで、現金からキャッシュレスへの移行が進むという意見もあるようです。

たしかに、「感染リスクを避けたい」という明確な理由があれば、キャッシュレスを選ぶ人は増えていくでしょう。日本人の多くは「絶対に現金がいい」というよりは、「特にキャッシュレスにする理由もないから現金でいいや」ぐらいの感覚でいるからです。

しかし、先ほど紹介したように、悪事がばれないように「現金がいい」と考える人もいます。彼らはキャッシュレス化には最後まで抵抗し続けるでしょう。

つまり、これからの日本では、**基本的に「脱現金化」が進むけれど、ごく一部の人が現金に固執し続ける社会になっていく**のです。今後、周りがどんどんキャッシュレスに移行していく中、頑なに現金を使い続ける人がいたら、一度理由を聞いてみるといいかもしれません。

巨大化するアマゾン経済圏

アマゾンの新たな狙い

資本主義の特徴は「力を持つものがその力を使ってさらに勢いを増していく」ことです。これを体現しているのがＧＡＦＡでしょう。特に**アマゾンはこれから世界を支配する勢いで「経済圏」を広げていきます。**

２０１７年、アマゾンが大型スーパー「ホールフーズ・マーケット」の買収を発表し、話題を集めました。ホールフーズが扱っている生鮮食品を、アマゾンの流通システムで配送するのが狙いのようです。

しかし、これまでのアマゾンは日用品や書籍のような、消費期限のない商品の販売で成長しました。国土が広いアメリカでは配達までの時間がかかるため、「いくらアマゾンの流通システムを使っても生鮮食品の配送は成り立たないのでは」という疑問の声もありました。

ただ、僕は**「アマゾンはアメリカ人の行動パターンや文化まで変えようとしているのではないか」**と捉えています。

アメリカでは、車で出かけて1週間分くらいの食料品を大量にまとめ買いしてくるのが一般的です。よほどの都会に住んでいない限り、スーパーまで簡単には行けないからです。でも、もし生鮮食品までネットで買えるようになったら、もうそんな買い出しも必要ありません。

加えて、コロナ禍をきっかけに在宅勤務が増えれば、人々はほとんど家から出ずに生活できるようになります。人々が家に閉じこもって生活するようになれば、そして、ドローンなどによる流通システムがさらに進化すれば、もうリアル店舗に行く必要などなく、なんでもネット注文で事足ります。

こういう状況こそ、アマゾンが最も狙っていることで、本気で乗り出してきたのだと考えるようになりました。

知らずに広まる「ＡＷＳ」

また、ネット通販だけではなく、今後もアマゾンはサービスを拡大し、僕たちの生活に深く入り込んでいくでしょう。それを実感する出来事がつい最近ありました。

自宅のお掃除ロボットを動かそうとしたら、なぜか操作用のスマホアプリに接続できません。「故障かな？」と思い、いろいろ調べていくと、原因はアマゾンのクラウドサービス「ＡＷＳ」で障害が発生したことでした。アプリがＡＷＳを利用していたため、ＡＷＳの障害により、アプリが動かなくなってしまったわけです。

実はＡＷＳはアマゾンの稼ぎ頭になっていて、売上高は業界２番手のマイクロソフトの倍以上になっています。ゲームアプリやキャッシュレス決済システム、ＩｏＴ家電など、ありとあらゆる製品・サービスに利用され、僕たちの生活を支えています。「アマゾンなんて、ネット通販とプライム会員サービスでしか関わりがない」と思っている人も多いでしょうが、**アマゾンのＡＷＳは、まったく関わらずに生きていくのが難しいほど浸透してきている**のです。

ただで買収できる方法

アマゾンを将来脅かすような製品やサービスを提供する企業が出てきたとき、アマゾンは大きく分けて二つの戦略をとります。

一つは、**その企業より〝安い値段で〟類似の製品やサービスを提供する**ことです。値段が安すぎて赤字だったとしても、アマゾンはほかの事業でカバーできるので痛くもかゆくもありません。消費者は少しでも安いものを選ぶので、最初に提供していた企業はシェアを落とし、事業が立ち行かなくなってしまいます。

その企業が撤退したあと、利益の出る値段に引き上げれば、アマゾンの独占市場の完成です。

もう一つは買収をすることです。脅威となりそうな企業は正面から戦わずに買収して、アマゾン内へと取り込んでしまうのです。

そして実は企業買収はアマゾンにとってメリットしかありません。

たとえば、先ほどのホールフーズの買収金額は、137億ドル（約1兆5000億円）にもなりましたが、買収の発表によりアマゾンの株価は2・97％上昇し、時価総額は140億ドル以上増えました。買収金額以上に時価総額が増加、つまり、ただでホールフーズを買収できたのです。

たとえ、**巨額の買収だったとしても、将来性のある企業を買収したことを市場が評価してくれれば、株価が上昇します。**

株式市場においては、大企業がさらに規模を大きくしていきやすい環境が整いすぎているのです。こうした仕組みが変わらない以上、アマゾンの成長を止めることはできません。

アマゾンは世界的なスケールで便利なサービスを提供してくれているので、「アマゾン経済圏」が広がることは悪いことではありません。しかし、あまりにも一つの企業に依存してしまうと、AWSの障害のようなトラブルが起こった際に、世界中が大混乱に陥る恐れがあります。また、アマゾンに押されてしまい、日本国内の産業が育たなくなるという問題も出てきます。

ＥＵは、アマゾンをはじめとしたネット大手企業の寡占化を懸念し、新たな規制を次々設けています。

それだけ危機感を募らせているということです。一方、日本では規制の動きがまだほとんど見られません。**このままアマゾンがありとあらゆる分野で影響力を強めていくことは間違いない**でしょう。

予防医療が希望なのに浸透していかない

予防医療って何か

今、国を挙げて予防医療に力を入れています。病気の高齢者が増えることで、医療保険制度が危機に瀕しているからです。

ちなみに、予防医療の目的は、大きく以下の三つの側面があります。

1　肺炎などの危険な感染症を予防
2　病気の重症化や再発を予防
3　病気にならないように健康な状態を長く保つ

さらに、その方法としては、三つの段階があります。

一次予防　食生活や運動、予防接種で健康を維持する
二次予防　健康診断、人間ドックなどで病気を早期に発見する
三次予防　適切な治療やリハビリで病気の再発や進行を抑える

なかでも**高齢社会では、一人でも多くの人が寝たきりにならずに自立して暮らせる健康寿命を延ばすことが重要になってきます。**つまりは一次予防です。

国民一人ひとりが一次予防を心がければ、国としては介護保険料が抑えられます。

もちろん、高齢者個人にとっても、貴重な老後資金を医療費に費やさずに済みます。

だからこそ、現役世代のうちから一次予防に励むべきだということは多くの人がわかっており、食生活や運動について気を遣う人が増えています。

ところが、予防接種となるといきなりおかしなバイアスがかかるのです。

コロナワクチンについて、今でこそ多くの人が肯定的に捉えていますが、当初、日本人に対するアンケート調査では「積極的に接種を受けたい」と答える人はほんの少

数派でした。

まれにしか起きないアナフィラキシーショックなどのリスクと、得られるリターンを冷静に比較したら、ワクチン接種は一刻も早く受けたほうがいいに決まっています。

でも、**ワクチンについてなかなか合理的に考えない人も多い**のです。

「過度にリスクを恐れる」日本人

僕はすでに新型コロナウイルスのワクチンを2回接種しています。2回目のときに、接種してくれた看護師さんに「これで旅行に行けるよ!」と言われたのが印象的でした。「副作用が出る恐れがあります」「かかりにくくなるだけなので引き続き感染に気をつけましょう」という日本とは考え方がずいぶん違います。

もちろん、日本人のリスクをしっかり避ける姿勢が感染者の少なさにつながっているのは事実です。

でも、過度にリスクを避けようとするあまり、多くの人がワクチンの接種をやめてしまったら、いつまで経っても感染を収束させることができません。

このコロナ禍をきっかけとして、**僕たち日本人は予防医療の有用性をもう少し認識すべきだ**と思います。

予防的治療にも消極的

予防的治療に関しても、日本人は消極的です。

たとえば、胃がんの原因はピロリ菌であることがほぼわかっています。だから、堀江貴文さんは「ピロリ菌の除菌キャンペーン」も行っています。

欧米諸国と比較して、日本や韓国は昔から胃がんが多いのですが、その理由として「塩辛い食べ物の多食」などが言われてきました。

でも、堀江さんによると、ピロリ菌の種類が違うのだそうです。日本や韓国の人たちが持つピロリ菌は、より胃がんを引き起こしやすいので、予防的に除菌したほうがいいというわけです。

ところが、なかなかそうした認識は広まらず、除菌も進まない。それによって、助かったはずの命が失われていくのです。

ほかにも、多くのがんには原因があるわけで、その原因段階で潰していくのは非常に重要なことです。

「保険で治せる」は過去のことになるかも

予防接種や予防的治療を積極的に行うことで病人が減り、医療費が削減できれば、そのお金を新しい医学研究に回せます。

逆に、合理性のない選択をして、重い病気にかかることは、個人にとっても国にとってもいいことではありません。

でも、今のままではそうした状況が続いてしまい、ますます現役世代の医療費負担が増え、いずれ日本の医療制度は崩壊してしまうでしょう。

アメリカでは、個人が民間の保険会社に保険料を支払って加入しています。民間の保険会社は利益を上げなくてはいけないので、高額の支払いが起きるような事案は増やしたくありません。そのため、加入者に予防的行動を推奨します。

最近聞いて面白かったのが「検査に行くと、保険料が安くなるキャンペーン」です。

たとえ、保険料を引き下げたとしても、保険加入者に検査に行かせ、病気を予防してもらうほうが結果的に保険会社がトクをするというのです。

一方で、もともと日本には多くの保険組合があり、たいていが国や地方自治体など市場原理と関係のない組織が管轄しています。だから、「支払額」について、あまりシビアに考えずにきたのです。

もちろん、政府や保険会社の施策だけではなく、国民一人ひとりの意識も重要です。しかし現状は、「病気になったら病院に行けばいい」と考え、自費で予防に励むことに積極的でない人がほとんどです。

日本の医療保険制度は盤石ではありません。**崩壊したときには、高い医療費を自力で払えず、本来であれば治すことができる病気で命を落とす人も出てくる**はずです。

「環境保全」と「経済成長」

解決不可能なジレンマ

グレタ派の矛盾

国連気候行動サミットで、地球温暖化対策に本気で取り組んでいない大人たちに対して怒りのスピーチを行い、一気に「次世代のリーダー」となった、高校生活動家のグレタ・トゥンベリさん。

彼女が主張するところの「パリ協定にある気温上昇を2度未満に抑えるという目標は、合意ばかりで実現していない」「そういう大人たちの事情を子どもの世代に支払わせるな」というのは、まっとうな言い分で、多くの若者たちの支持を得ています。こうした声を真摯に受け止めなければ、今後企業の生き残りは難しくなっていきます。

一方で、グレタさんのような「環境至上主義」の人たちの言うことには、矛盾もあるのです。

彼女たちの意見を突き詰めれば、「人間の手がかかっていないことがベスト」ということになります。だとしたら「人間を減らすこと」が地球環境にとって望ましいわけで、このまま僕らが生き続けること自体が問題になってしまいます。

飛行機に乗らずに船で移動するなどパフォーマンスに時間を費やすより、環境を守るための「具体的な技術革新」が必要なのだと僕は思います。その技術革新を、飛行機に乗っていち早く世界中に広めるべきです。

しかし、SNS世代は、彼女のような理想論に心動かされます。**これからの国や企業は、消費者候補であり投資者候補である若者たちの声に耳を傾けつつ、経済発展をさせるという難しい舵取りを求められている**のです。

エコっぽいものに飛びつかない

環境問題の未来を語るうえで、僕がよく使う言葉があります。それは「エコっぽい」です。

日本人をはじめ先進国の人たちの多くが、「それは本当にエコか」を科学的に検証

することなく、「エコっぽいもの」に飛びついています。その結果、かえって環境によくないという皮肉な現象が次々起きているのです。

世の中には、一見、環境によさそうだけれど、少し考えれば意味のないことはたくさんあります。僕らは、企業や組織が自分たちの商品やサービスを売り込むための「環境にいい」というセールストークにまんまと引っかかっているのです。

たとえば、電気自動車。二酸化炭素を含んでいる排気ガスを出さず、環境に優しいということで、生産台数を増やしています。

けれど、エネルギー源である電気を発電しなければならないことまで考えるとどうでしょう。日本や中国、アメリカでは、火力発電への依存度が高く、日本原子力文化財団が公表した２０１９年のデータだと、日本は89％、中国は87％、アメリカは84％となっています。つまり、電気自動車から直接排気ガスが出ないとしても、その電気を発電する際に、二酸化炭素がたくさん排出されてしまっているのです。

こうしたことを考えると、「電気自動車はエコだ」とは簡単に言い切れなくなります。しかし、多くの人は「排気ガスが出ないのだから環境にいい」と盲目的に信じ込み、一見エコっぽい電気自動車をもてはやしています。

これからさらに、環境へ配慮しようという動きは加速していくでしょう。それ自体はいい傾向だと思いますが、**「エコっぽいもの」に短絡的に飛びつく姿勢をなんとかしないと、せっかくの効果は限定的になってしまいます。**

SDGsは絶対に実現できない

消費者の声や世論に敏感な企業ほど、熱心に取り組んでいるのがSDGs（エスディージーズ）（Sustainable Development Goals＝持続可能な開発目標）です。SDGsには「17の大きな目標」が掲げられています。「貧困をなくそう」や「飢餓をゼロに」といった発展途上国への支援が必要なものや「気候変動に具体的な対策を」や「陸の豊かさも守ろう」といったすべての国で取り組むべきことまで、多岐にわたります。

SDGsはまさに最新のトレンドではあるものの、僕は一時的な流行に終わるのではないかと思います。

なぜなら、世界が一丸となることはまず無理だからです。人類史上、世界全体で協力体制を敷けたことはありません。

たとえば、目標の一つ、「陸の豊かさも守ろう」について考えてみましょう。先進国を中心とした余裕のある国が、いくら環境への配慮を訴えたところで、発展途上国が森林の伐採をやめるはずがありません。発展途上国の人たちにとって、森林を伐採し、農地を広げていくことは生きるために必要不可欠なことだからです。生きるのもやっとの人たちに環境保全を求めるのは、先進国のエゴを押しつけているだけではないでしょうか。

このように、貧富の差があり、文化の差があり、考え方の差がある以上、世界全体で共通の目標を達成するなんてできるはずがないのです。

僕は**ＳＤＧｓのような、全世界で取り組む必要があるような大きな目標ではなく、個別の国や会社ごとに具体的な目標を提示していったほうが未来はよくなる**と思います。世界的な統一目標は達成が困難すぎるため、積極的に取り組むよりも「なんとなくやっている感」を出しているほうが得をする状態になってしまいます。

ファッション的に環境問題を口にする傾向は、先進国を中心にこれからもどんどん出てくるでしょう。

実現可能性を無視して、達成できない目標を掲げていては、またグレタさんに「合意ばかりで実現していない」と叱責されてしまいます。環境問題について考える際には「それは本当にエコなのか？　そして、実現可能なのか？」という問いかけが必要なのです。

「食料危機」が起きる場所、起きない場所

食料危機はどこで起きるのか？

「深刻な食料不足が起こる」――「未来予測」をテーマにした本に必ずと言っていいほど書かれていることです。

今後アフリカなどの発展途上国を中心に食料が足りなくなるのは事実です。発展途上国では、そもそも環境が整っておらず、うまく食料をつくれないという面もありますが、たとえつくれるようになっても、それを自国民に回すよりも、先進国に売ったほうが儲かるので、相変わらず食料危機は解決しないのです。

そもそも、なぜ食料危機は起きるのかというと、ある一定以上に人口が増えるからです。昔は人口が少なかったのが、農耕技術の発達で食料がつくれるようになって人

口は増えていきました。しかし、食料を増やせる割合と、人口増加の割合のバランスが崩れれば、人々は飢えてしまいます。

地球には「キャパシティ」がある

先進国では少子高齢化が進み、日本のように人口減少が始まっている国もありますが、地球全体で見れば人口はなおも爆発的に増加しており、国連の予測では２０５７年に１００億人を突破します。

とくに増加率が高いのがアフリカで、２０２０年時点でおよそ13億人の人口が、２０５０年には25億人まで倍増すると予測されています。

しかしながら、人々が暮らす地球にはキャパシティがあります。それを「環境収容力」と言います。要するに、**地球という環境に収容できる人員には限りがある**ということです。

人口が増えすぎて環境収容力を超えると、当然のことながら食料が足りなくなります。生きるために最低限必要な食料が行き届く人数しか生き残れないわけで、それを超えるところまでくれば、人口増加に歯止めがかかります。

つまり、**アフリカを中心とした人口が急激に増加している地域で「食料危機」が起こり、それが世界全体の人口抑制につながっていく**と考えられるのです。

「食料危機」に関する二つの嘘

同時に、「日本は食料自給率が低いから、発展途上国で食料の消費量が増え、輸出を止められるとすぐに食料危機に陥る」と危機感をあおる人たちがいます。しかし実は逆なのです。**「食料自給率はそこまで低くないし、食料危機は起こらない」**のです。

まず、食料自給率の誤解から解いていきましょう。食料自給率には「カロリーベース」と「生産額ベース」の2種類あります。簡単にいうと、日本人が消費する食品のうち、どれだけ自給しているかを「カロリー単位」で見るか、「生産額単位」で見るか、という違いです。日本ではカロリーベースが採用されていますが、世界の主流は生産額ベースです。

日本の食料自給率はカロリーベースだと38%程度と半分を切っています。メディア

日本の主要穀物の輸入先

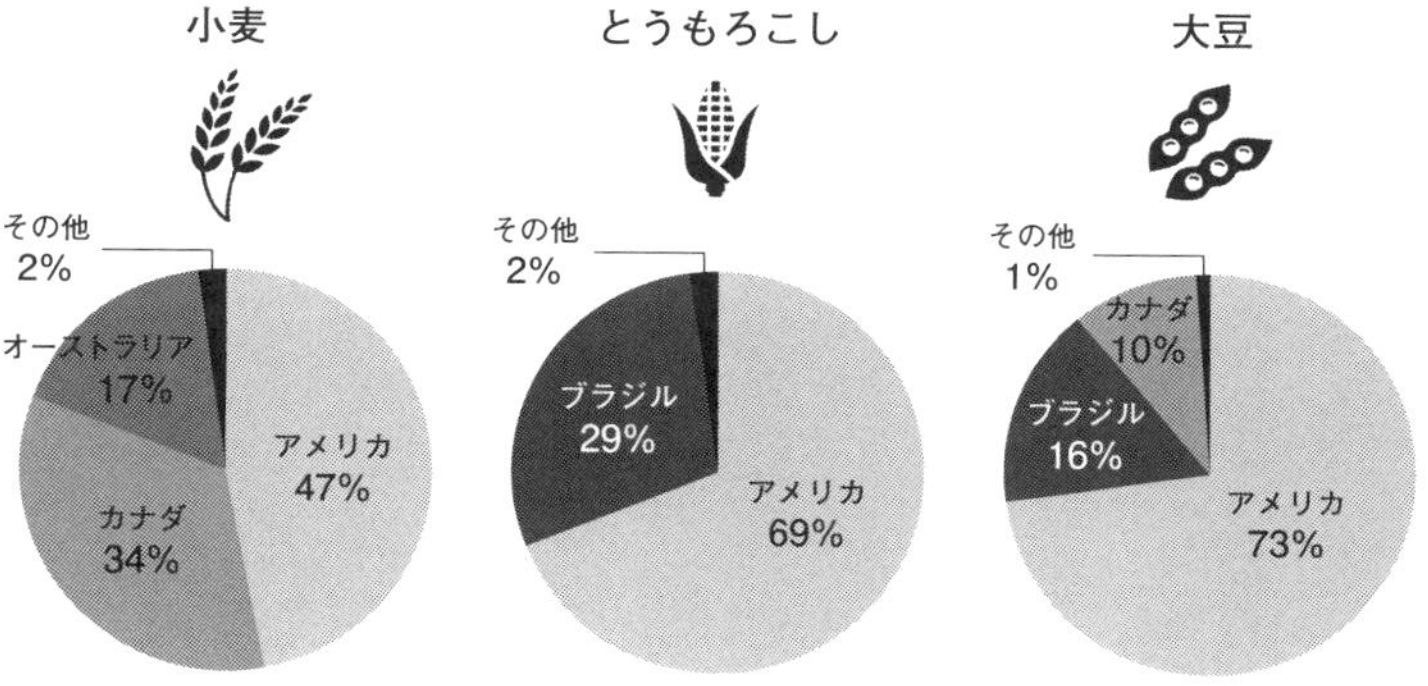

出典：農林水産省「食料需給表」（2019年）

はこの数字をやり玉にあげて、「日本は食料自給率が低すぎる！」などと警鐘を鳴らしています。しかし、生産額ベースだと約66％になります。ドイツも約66％、イギリスは約60％なので、ほかの先進国と比べても見劣りしない数字です。

もう一つ、「発展途上国からの輸出を止められる」についてですが、これもおかしな話です。

日本の主要穀物の輸入相手国をまとめたものが上のグラフです。これを見ると、日本は食料の輸入をアメリカやカナダ、ブラジル、オーストラリアといった国に頼っていることがわかります。つまり、もともと日本は発展途上国からの食料輸入に依存していないのです。

こうしたデータを参照せず、**発展途上国の食料危機がそのまま日本に波及するかのような主張は正しいとはいえない**でしょう。

昆虫食も定着しない

食料危機に備えて、日本でも「昆虫食」を提案する人がいます（先ほど見たように、まず日本で食料危機は起こらないでしょうが……）。彼らは、「昆虫はたくさん生息していて、かつタンパク質だから」という理由ですすめているわけです。しかし、これも現実的ではありません。

野生の昆虫を捕まえるのは大きなエネルギーを要します。養殖しようにも、小さくて羽が生えている昆虫はかごから逃げてしまうし、かなりのコストがかかります。

そんなお金があるのならすでに家畜化されている牛や豚を育てたほうがずっと効率的でしょう。

どんな分野にもいえるのですが、**「できる」と「普及する」は別物**です。

たしかに、昆虫はタンパク質が豊富です。そして、昆虫を捕まえることも養殖することも技術的には可能です。だから「できます」。でも、それが普及するかどうかは、コストを勘案した人々が決めることです。

もし、昆虫食関連にビジネスの可能性を見出そうなどとしているのなら、やめておいたほうが賢明です。

Chapter

3

仕事

「生き残れる人」の共通点

給料を上げるには「頑張るのをやめる」しかない

「給料が下がっている」のは日本だけ

僕らの世代は、バブル崩壊のあおりを受け、非正規社員やフリーターにしかなれなかった人が多いロストジェネレーション（ロスジェネ）世代です。僕が「過度な上昇志向を持たずにそこそこの幸せを大事にして生きる」という考え方を持ったのは、どんどん不景気になっていく世の中を肌で体感したことが大きいと思います。

ロスジェネ世代は、これまで「社会からはじき出されたかわいそうな人たち」として扱われてきました。しかし、今後はこの世代から生き方を学ぶ必要すら出てくる可能性があります。なぜなら、**日本人の給料は今後どんどん下がっていく**からです。

143ページのグラフは、ＯＥＣＤ加盟国のうちＧＤＰの多い13カ国の、１９９４年か

名目賃金上昇率（1994年～2018年）

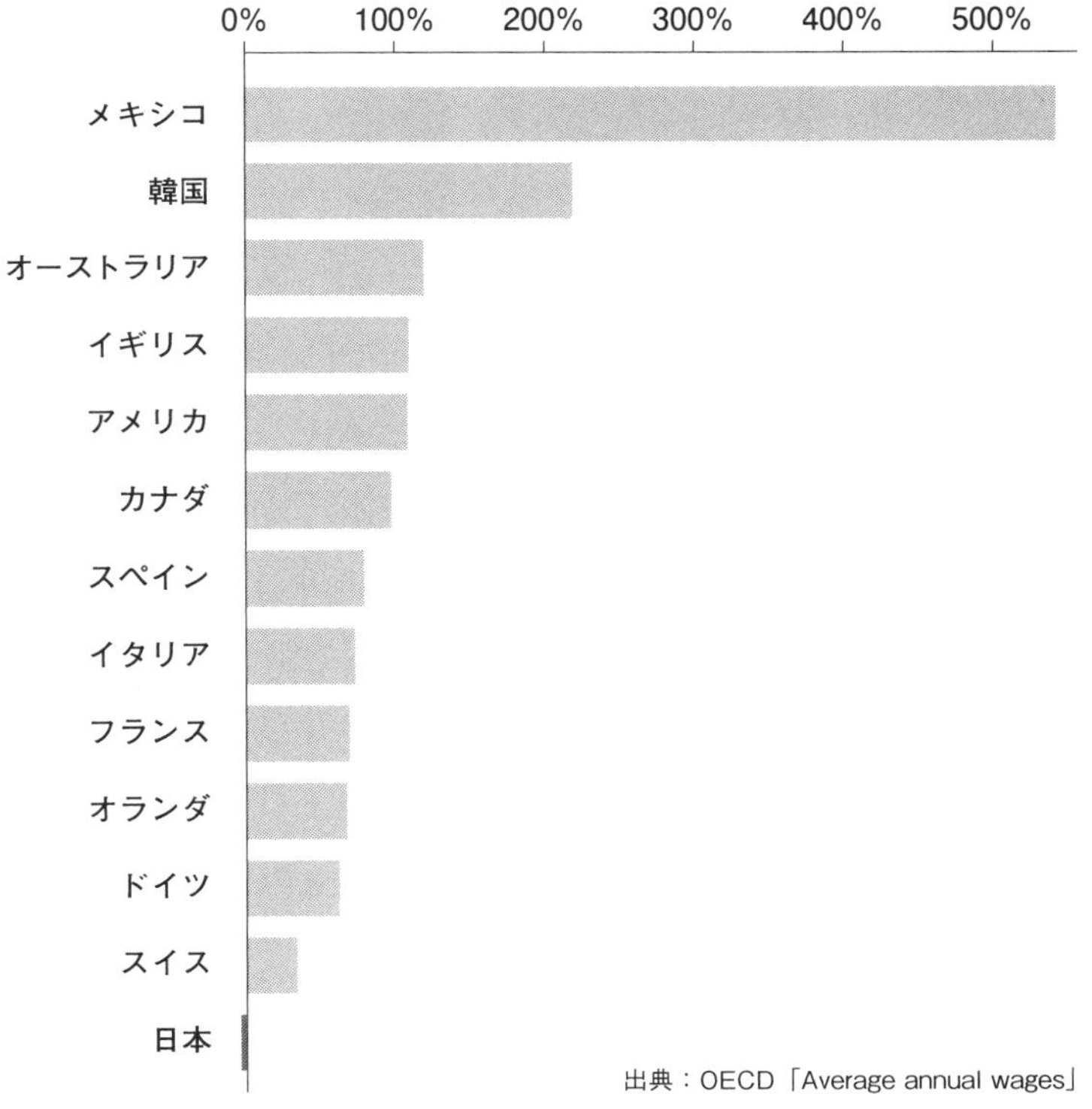

出典：OECD「Average annual wages」

ら2018年までの名目賃金上昇率をまとめたものです。これを見ると、13カ国の中で日本だけがマイナス成長（マイナス4・54％）という、かなり衝撃的な事実が浮かび上がります。つまり、**世界の主要国の中で、名目賃金が下がっているのは日本だけな**のです。

これにコロナ禍による国の財政悪化、民間企業の業績不振が加わるわけですから、今後も日本人の給料が上がることはまったく期待できないでしょう。

「新商品」が生産性の低さの要因

日本の給料が上がらない理由として、長時間労働を挙げる人がいます。

「日本人はだらだらと長く働いているから、時間当たりの成果が少ないのだ」と言うのですが、本当にそうでしょうか。僕は過去いろいろな国の人と一緒に仕事をしたことがありますが、彼らと比べて日本人の働きぶりが悪いとはまったく思えません。

むしろ、**日本人の生産性の低さは「頑張りすぎ」が原因なのではないか**とにらんでいます。日本では、家電でも、ビールでも、お菓子でも、毎シーズンごとにメーカー各社がそろって新商品を発売します。実はこれは日本特有の現象です。フランスやアメリカでは、定番商品をずっと売り続けるのが基本で、毎年新商品が出るなんてことはありえません。

新たな商品を生み出し続ける「勤勉で」「真面目な」日本人。しかし皮肉なことに、多くの会社は、頑張れば頑張るほど生産性が下がっていく負のスパイラルに陥っています。

新商品開発には人件費や材料費といった大きなコストがかかります。その商品を知ってもらう広告活動にもお金をかける必要があります。新商品の発売によって多少売上が伸びるのは事実ですが、コストに見合うほどの利益が出せているとは到底思えません。

食品業界には「千三つ（せんみっつ）」という言葉があります。これは「千個の新商品を出しても、当たるのは三つしかない」という意味で、新商品開発の難しさを表しています。ほとんど当たる見込みのない商品を躍起になって出したところで、プラスになるはずがないのです。

今後日本の人口はどんどん減っていきます。全体のパイが縮小していくので、ますます新商品を出す意味は薄れていくでしょう。でも、自分の会社だけ新商品を出すのをやめてしまえば、他の会社に売上を取られてしまうので、結局新商品を出し続けるしかありません。こうした**負のスパイラルによって、利益の削り合いをしている結果、生産性が下がってしまっている**のです。

あまり頑張りすぎずに、全部の会社で開発のペースを抑えれば、生産性が上がり、社員に多くの給料を支払うことができます。ただ、そんなことは絶対に実現できません。資本主義下の日本で「みんな一斉に頑張るのをやめましょう」なんて賛同を得られないからです。

結局、**「一生懸命働いているせいで、どんどん生産性が下がっていく」という残念な未来がやってきてしまう**のです。

「優秀な人材の流出」が起きる

日本から出られる人、出られない人

「もう、日本から出ていったほうがいい」――僕は未来ある若い人によくこのアドバイスをしているのですが、相手の反応は二つに分かれます。

一つは、「わかりました！　英語とプログラミングのスキルを生かしたいんですが、どの国がいいですか？」という前向きな反応。もう一つは「いや、英語も話せないし、海外で働くなんて無理です」という後ろ向きな反応です。

そして、前向きな反応をする人は10人に1人くらいしかいません。

2章でも大多数の貧乏な若者と少数の裕福な若者に分かれると述べましたが、「仕事」においてもこういった二極化が予測されます。つまり、**海外で働くスキルを持っ**

た、ごく一部の優秀な若者と、日本で働く以外の選択肢がない大多数の若者に分かれていくということです。

優秀な若者が出て行く

優秀な若者が外国へ流出していくのは、彼らが力を発揮できる環境を日本企業が用意できていないからです。

というのも、日本のおじさんを中心に回っている職場では「若いやつのやることは信用できない」と胡散臭がる傾向にあるからです。

それでも、ITバブルが起きていた頃は、堀江貴文さんやミクシィの笠原健治さんといった起業家が活躍できました。あの頃はまだIT企業が多くなかったために、若者がやっている企業に発注するしかなかったからです。

でも、今は当時ベンチャーだったところが大企業に成長しているので、おじさんたちはそちらを選びます。これでは、優秀な若者が嫌気をさして、「国外脱出」を考え始めるのは当然です。

そもそも、これまで見たことがない新しいものは胡散臭くて当然だし、だからこそ魅力的ともいえます。

サンフランシスコに本拠を置く民泊会社の「Airbnb（エアビーアンドビー）」は、日本だったら発案者は旅館業法違反で逮捕されたでしょう。でも、アメリカなら「なんか儲かっているらしい」と、多くの優秀な人たちが集まってきます。

新しいビジネスの芽を「よくわからない怪しいもの」だとして次々と潰していくのが日本なのです。

内向きになる日本人

本来であれば日本人はもっと世界に出て行くべきなのですが、多くの人はどうも内向きになっています。これには、日本の家父長制度も大きく影響しています。

エマニュエル・トッド氏の『世界の多様性　家族構造と近代性』（藤原書店）は、家族構成と社会構造の関連性を鮮やかに示した名著です。

トッド氏は、アメリカ（イングランド系）と日本の家族型をそれぞれ、「絶対核家族」、

「直系家族」として分類しています。そのうえで、次のように分析をしています。

アメリカでは、親子の関係は独立していて、子どもは成人すると、家を出るのが当たり前。2世帯以上の同居はあまりなく、「核家族」が基本。個人主義的な側面が強いため、故郷や祖国に固執することなく、どんどん動き回る傾向がある。

日本では、子どものうち1人は親元に残って跡取りとなり、家や土地を引き継ぐ。跡取りと親世代の同居を繰り返すことで「直系」を維持する。故郷や祖国から離れることに積極的ではなく、移動性が低い傾向がある。

トッド氏の分析からわかるように、**もともと日本人はアメリカ人などと比べて、海外に出ることに積極的でない**のです。一部の優秀な若者は自分なりに危機感を持って、海外に目を向けていますが、ほとんどの若者は親世代の価値観をそのまま引き継ぎ、内向きでい続けています。

優秀な若者が海外へ流出していく。その結果、日本企業はこれからさらに人材の確保に苦労するようになるのです。

「AIの下請け」として働く人たち

統計とAIの違い

仕事の未来を語るうえで外せないのが、「ＡＩ」についてです。僕もいろいろな場で、「ＡＩは人間の仕事を奪うのか」といった話をしてきました。しかし、もっと前提の「ＡＩとは何か」をわかっていない人が多すぎます。一番多いのは、統計とＡＩを混同しているパターン。そこでまずは、ＡＩの基礎知識を確認していこうと思います。

ＡＩの機械学習では、ビッグデータを読み込ませます。

たとえば、コンビニの販売データを大量にＡＩに学習させると、「Ｘ店では朝に肉まんが売れる」という答えを出してきたりします。

でも、「なぜX店で朝に肉まんが売れるのか」という理由までは分析できません。

一方で、統計は「客層が似ているY店では30代のビジネスパーソンが多く訪れて、彼らが肉まんを買っていく。だから、似たような顧客が多いX店では朝に肉まんが多く売れる」という因果についても考えていきます。

つまり、**AIは正しい答えを出しては来るものの、その答えに頼りっぱなしでは因果を見極める機会を失う危険性もある**のです。

かつて、ＩＢＭが開発した「ワトソン」というＡＩに「優秀な人材を採用する」というミッションを行わせたことがありました。すると、ほぼ男性ばかりが合格してしまいました。

ワトソンは「優秀な人とは、若くして出世して高い給料を取っている人だろう」と考えたわけですが、実際に、そういう人は、アメリカ企業においても圧倒的に男性が多いのです。

では、ワトソンが導き出した指示に従っていればいいのか。それをやっていれば、ますます性差が広がっていくだけですし、そもそも「これまで女性に出世の機会が与えられなかったために男性より女性のほうが給料が安い傾向にあるのかもしれない」

という因果を見落としてしまいます。

ＡＩは統計と違って、結論に至る過程がブラックボックスなのです。この違いを理解していない人があまりにも多すぎます。今後はある意味「ＡＩの下請け」として、ＡＩが提示した答えにそのまま従ってしまい、先ほどの男性優遇の例のように、結果は出るけれども、社会的には間違った方向に進んでいくというトラブルが起きる危険性があります。

ＡＩに仕事を奪われる

では実際に、ＡＩが仕事をどう変えるのかを見ていきましょう。野村総合研究所がオックスフォード大学のマイケル・オズボーン准教授およびカール・ベネディクト・フレイ博士と共同で行った研究結果は、大きな衝撃をもって受け止められました。

電車や路線バスなどの運転士、経理など一般事務員、梱包や積み下ろしなどの**単純作業を担う人たちの仕事は、99％以上の高い確率で今後ＡＩに取って代わられる**というのです。

精神科医や作業療法士、言語聴覚士など自動化の可能性が０・１％と非常に低い職業も指摘されましたが、全体を通しても、日本の被雇用者の49％が高いリスクにさらされていることが報告されました。

それほど、ＡＩにできる仕事が増えているわけです。

かつては、給料の高い安定した職業のトップであった銀行員も例外ではありません。メガバンクはどこも、ＡＩを導入して大規模な業務量削減を行うと発表しているし、実際に人員削減が進んでいます。保険会社もしかりです。

要は、**「自分はホワイトカラーだ」と思っている人の仕事はほとんどなくなる**のではないでしょうか。給料が高い人の仕事ほど、ＡＩにやらせたほうが企業にとって効率がいいのは明らかです。

逆に、給料が安い仕事をＡＩに置き換えるためにコストをかけるのはばからしいので、そうした仕事は残るでしょう。

とはいえ、その仕事を担う人数が多ければ話はべつです。たとえば、給料の安いドライバーを数多く抱えているなら、初期投資をしてもＡＩによる無人運転のシステムをつくってしまうほうがいいからです。

「業界」よりは「仕事内容」で考える

驚くことに、ゲーム動画をＡＩに見せると、そのゲームに近いものをつくってしまうそうです。ということは、ＡＩにスーパーのレジ打ちの様子を見せれば、それができる未来もいずれやってくるでしょう。

パイロットの操縦を見せて学ばせれば、飛行機の離着陸もできるようになる可能性だってあります。「まさか、あの人気職業が……」と思われるような仕事が、10年後にはすっかりなくなっているということが間違いなく起きます。

スーパー業界は残るけれど、レジという仕事はなくなる。航空業界は残るけれど、パイロットという仕事はなくなる。つまり、どのような業界であっても、ＡＩに代替させられる作業とそうではない作業があるということです。

たとえば、出版社なら文字校正とか写真の修正などは人間でなくＡＩができるようになるでしょう。ただ、偏屈な作家とお酒を飲みながら、執筆依頼をすることはＡＩ

ではできません。

このように、人間同士のコミュニケーションを必要とする仕事はＡＩに駆逐されにくいのです。

ただし、コミュニケーションといっても、商品の注文などマニュアル化できるような簡単なやりとりは別です。すでに、ピザ屋の注文をするくらいのコミュニケーション能力を持つ「ヒトシステム」をグーグルが公開しています。**定型化したやりとりが中心の仕事はＡＩが担うようになる**でしょう。

〝機械のため〟に働く人間

よく、機械が人間の仕事を代替してくれるから、僕らは遊んで暮らせるようになると語る人がいます。これは間違いではありませんが、機械に仕事をさせることができるのはごく一部の人だけです。それ以外の人は逆に「機械に仕事をさせられる」未来がやってきます。

「reCAPTCHA（リキャプチャ）」という機能を知っているでしょうか。reCAPTCHA はグーグルが提供するセキュリティサービスで、ボットによる不正アクセスからウェブサイトを守ってくれます。「〇〇の画像をすべて選択してください」という画像認証など、ネットを使う人なら一度は目にしたことがあると思います。

これを自動で通り抜ける「2Captcha」というサービスをロシア人が開発したことが話題になりました。このサービスを使うと、reCAPTCHAのセキュリティを突破できるので、たとえばツイッターのアカウントをいくつでもつくることができます。

これだけ聞くと、すべてプログラムで自動化されているのかと思いますが、実は、人が1件1件、入力作業を行っているのです。まさにプログラムのために人間が働かされている状態です。

今後はこうした仕事がどんどん増えていくでしょう。**機械に任せて遊んで暮らすどころか、機械のために働く、SFのような未来がやってくる**のです。

将来性のある〝意外すぎる〟業種

「僕の仕事に未来はありますか？」

社会がどんどん不安定になっていく中で、大学生や若手の社会人は漠然とした不安に襲われていることでしょう。

僕のところにも「今タクシードライバーをしているのですが、将来性はありますか？」「出版社志望の就活生なのですが、出版業界は今後やばいですか？」といった質問がものすごくたくさん来ています。

ただ、半導体メーカーは将来有望とか、地方銀行は厳しいといった、どこの転職サイトにも書いてあることを言っても面白くないので、〝意外と〟将来性のある業種を紹介したいと思います。

成功したければ「農家」になれ!?

僕が注目しているのが「第一次産業」です。農業・漁業・林業といった第一次産業は「すでに終わった業界」みたいに捉えられている節がありますが、人間が生きていく以上、絶対になくならないので、これからも有望だと考えていいでしょう。

第一次産業の現状について伝えるテレビ番組などは「うまくいっている人」ではなく「困っている人」に焦点を当てるし、見る側もそれを喜ぶ傾向にあるので、みんな正しく理解できないのです。

たとえば、「後継者不足」というテーマはその典型です。

東北地方のある村に、長く続いた西村牧場というのがあったとしましょう。そこの長男ひろゆきが「僕は都会に出る」と継がなかったら、西村牧場はなくなります。そして、それを「現代の悲劇」としてテレビは放送します。

でも、実際にはどこかが買い取って牧場経営は続いていたりすることがほとんどです。むしろ、大手資本が入って、より活性化していることすらあります。

逆に、小さな力で新しい成功を収めやすいのも第一次産業です。

東日本大震災による原発事故の被害に遭った福島県浪江(なみえ)町で、町の再生のためにトルコギキョウの栽培を始めた女性がいます。そのトルコギキョウは品質のよさから市場で高く評価され、今は家族経営で手取り年収1000万円を超える経営モデルを構築するまでになっているそうです。

しかも、地方ですから家賃などの生活費は都心よりはるかに安く、非常に豊かな暮らしができるでしょう。

こうした**成功事例は、農業はじめ第一次産業にはごろごろ転がっています。**ただ、それは情報として流れてきません。多くが個人事業主で発信の場がないし、そもそも「自分は儲かっている」などとあえて言って余計なやっかみを受けたくないからです。

観光業は「必ず復活する」

もう一つは「観光業」です。

僕はコロナ禍以前、著書やインタビューなどで「観光業は将来性がある」と伝えてきました。というのも、日本が貧乏になれば、相対的に外国人はお金持ちになって「物価の安い」日本でお金を落としてくれるからです。

しかし、ここ最近は「観光業が伸びると言っていましたが、さすがにもう厳しいですよね？」と聞かれます。

たしかに、今はまだコロナの影響が大きく、観光業はどこもかなり苦労しています。**でも僕はこのパンデミックを踏まえても、「観光業は期待できる」**と考えています。

幸いにも、日本には外国人がお金を落としたくなるスポットがたくさんあります。

たとえば、京都のお寺や町並みは京都にしかないもので、「写真ではなく本物を見たい」という人が世界中にたくさんいます。そういう人たちが京都を訪れ、高級旅館に泊まり、高いレストランで食事をし、お土産をどんどん買ってくれる日が、そう遠からず来るでしょう。

エジプトがピラミッドなどの遺跡観光でいまだに外国人を呼んでいるように、歴史的価値を持つ観光地は千年単位で栄えます。そういう観光地の周辺は、今後再び活気を取り戻していくでしょう。

「プログラマー」は将来有望

とりあえずＩＴ系に入っておけ

前項で、「第一次産業」と「観光業」に期待できると述べました。

しかし、大学を出ていきなり農業などを始めるのはハードルが高いし、観光業もしばらくは厳しい状態が続きそうです。

そこで、意外性はまったくないですが、今の大学生にアドバイスするならば、やはり**ＩＴ系の企業に入っておくことをすすめます。**

できれば大手のほうがいいですが、サイバーエージェントや楽天などに新卒で入れるような人は、すでに多くの応募者の中から選ばれるポテンシャルを持っているわけで、人生であまり困ることはないはずです。

そうではない、ごく普通の大学生の場合、大手ではなくてもＩＴ系の企業で仕事をしていれば、そのスキルを海外でも生かせます。142ページで述べたように、日本人の給料はどんどん下がり続けているので、外国に行けば同じ仕事をしてもより高い給料がもらえます。つまり、**日本以外の国に行っても稼げるスキルを身につけておけば有利だ**ということです。

お金を楽に稼ぐ方法

僕はかねてより、人はお金がなくても幸せになれると思っています。お金を稼ぐために毎日つらい思いをするなんてナンセンス。逆にいうと、お金を稼ぐならなるべく楽できる方法を考えるべきです。

お金を稼ぐ方法は三つ。

1　自分で働く
2　お金に働かせる
3　機械に働かせる

1の「自分で働く」というのは、自分の時間と体力を使うわけで楽はできません。

2の「お金に働かせる」は、投資のようにお金でお金を増やすわけですが、そもそも元手となるお金がない人にはできません。

となると、**お金持ちじゃない人が楽に稼ごうと思ったら、3の「機械に働かせる」しかない**わけです。

昔は個人には難しかったこの方法も、今では誰にでも可能なものとなりました。実際、株式の自動売買ツールを使って利益を出している人もいますし、2ちゃんねるの書き込みを自動でまとめるサイトをつくって、広告収入を得ている人もいます。ちょっとした知識とアイデアがあれば、自分で手を動かさなくてもお金を稼ぐことができるのです。

プログラミングスキルは有効

楽して稼ぐために、プログラミングスキルを身につけるのは極めて有効です。

僕自身、学生時代に仲間といろいろやってみて、「プログラミングができてウェブページがつくれたら食いっぱぐれがないな」とわかり、そのスキルを磨きました。

今でも、プログラミングができるのにまったく仕事が見つからない人など、ほとんど見たことがありません。

とくに、「アプリ開発」は個人で比較的簡単に行えます。アプリはウェブサービスと異なりストアで見つけてもらえ、気楽に買ってもらえます。大儲けとまではいかなくとも、ちょこちょこ稼いでいる人はたくさんいます。

これが英語圏だと、人件費が安い国のエンジニアと競争になって負けてしまうことも多いのですが、日本語の壁のおかげで競争も激しくありません。

今のところ、個人でアプリをつくっている日本人エンジニアの数はあまり多くないので、しばらくは稼げるでしょう。

プログラミングというと、何かすごく難しいことだと感じるかもしれませんが、中学の数学がわかるくらいの学力があれば十分です。

ただ、プログラマーはとにかく難しく表現したがります。なかには、素人にはチンプンカンプンの専門用語を使ってマウンティングしてくる人もいるでしょう。でも、それで躊躇(ちゅうちょ)する必要なんてありません。

プログラミングを早く自分のものにするコツは、優れたものをマネすること。

それから、わからないことは人に聞くこと。

独学で頑張ろうとすると、大切なことと本当はどうでもいいことの区別がつかないので、最短の道を通れません。**詳しい人に聞くことで、「ああ、ここにはこだわらずにスルーしていいんだな」ということがわかります。**

パソコンを配りまくります

もう一つ、プログラミングを身につけるためには、小さいうちからパソコンに触れておくのも大切です。パソコンでゲームをしたり、文章を書いたりした経験があれば、プログラミングの学習効率は高まります。

そこで、僕は子どもたちがパソコンに触れる機会を増やすための活動を始めました。児童養護施設にパソコンを寄付するプロジェクトです。

児童養護施設には、子どもたちが自由に使えるパソコンがなく、社会に出てはじめてパソコンに触れたという子も多くいます。そうした子たちはなかなかプログラミングを学ぼうとは思えないでしょう。だから、**児童養護施設に無料でパソコンを配るこ**

とで、プログラミングを学ぶ子を増やすきっかけになるのではないかと考えたのです。

僕が親にしてもらったことで、今でも感謝しているのは、小学生のときに誕生日プレゼントで「ＭＳＸ」という家庭用パソコンを買ってもらったことです。このパソコンを使っていろいろ遊んでいたことが、プログラミングのスキルを身につける下地になりました。

プログラミングができれば、僕のように、フリーランスになったり、海外で働いたり、さまざまな選択肢が手に入ります。

子どもたちがパソコンに触れるきっかけをつくって、その中から未来のプログラマーが生まれてくればいいなと思っています。

「移民を受け入れない」唯一の国になれる

労働人口が足りない

僕は学生時代「コンビニ店員」「ラーメン屋」「ピザの配達」……など、いくつものアルバイトをしてきました。どこもバイトをたくさん雇っていて、みんなでワイワイと働いていました（仲間内で盛り上がりすぎて、今でいう「バイトテロ」的ないたずらをしていたことは申し訳なく思っていますが……）。しかし、この光景はもう見られなくなるでしょう。**日本は今後深刻な「労働力不足」に陥る**からです。

0章では、生産年齢人口（15歳から64歳までの人口）という言葉が何度か出てきましたが、それとは別に、実際に就労している人と、就労の意思はあるが就労できていない完全失業者を合わせた人口を「労働人口」と呼びます。

生産年齢人口が減っていくなかにあっても、2023年までは、女性と高齢者の労

日本の労働人口推移予測

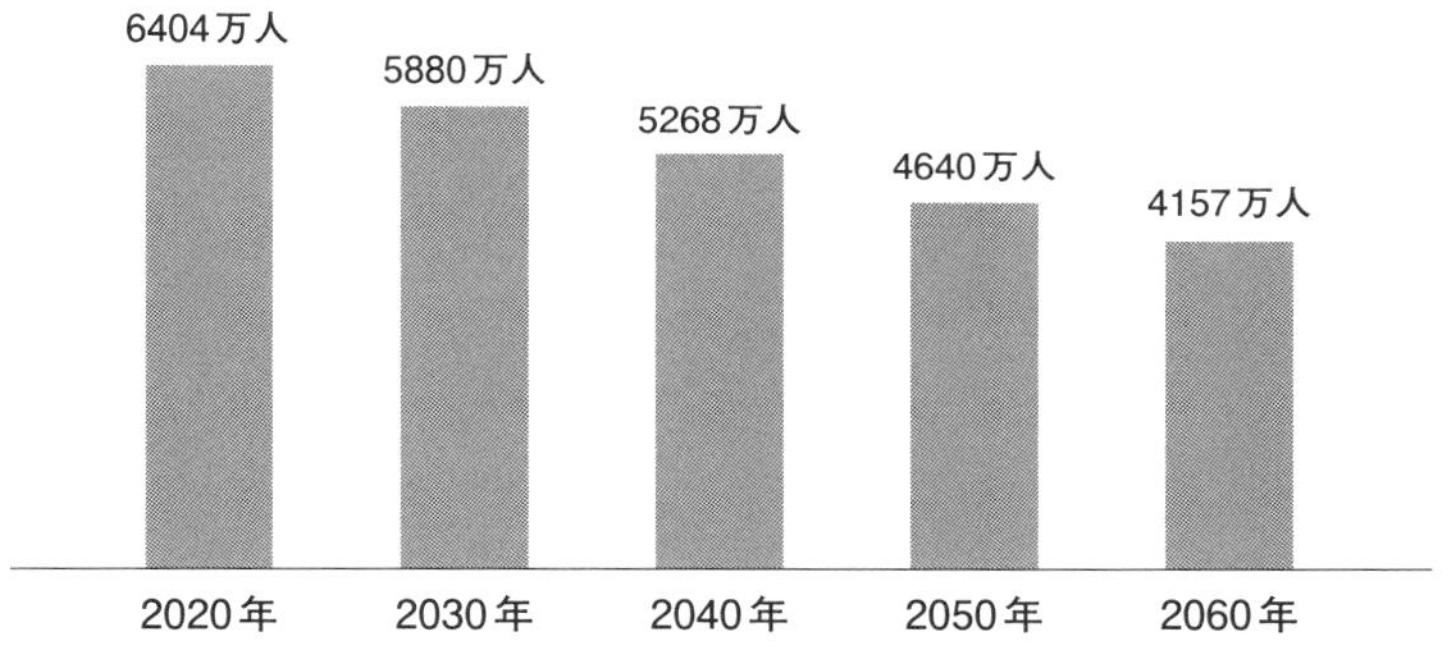

出典：みずほ総合研究所作成資料

働参加で労働人口は微増します。しかし、それをもってしても、２０２４年には労働人口も減り始めます。

２０２０年に６４０４万人だった労働人口は、２０６０年には４１５７万人と、４割も減少すると予測されています。

実際に、どの業界もすでに労働力が足りず、都市部のコンビニなど店員はほとんどが外国人です。でも、それもいつまで続くことやら……。

コンビニの外国人店員は、最初の頃は中国人が圧倒的でした。ところが、今は東南アジアの人が増えています。もはや、中国人は自国で働いたほうが儲かるからです。今後、タイなどの経済レベルが上がってくれば、東南アジアの人々も日本を離れていくのは当然です。

「格安業態」は市場から退場させる

コンビニの経営者が外国人を使っているのは、日本人のアルバイトが集まらないからです。でも、それは時給設定がおかしい証拠です。仕事内容のわりに、そもそもの時給が安すぎるのです。

格安業態の飲食店などでも同じ傾向が見られます。

たとえば、あるラーメンチェーン店が、人件費の高騰を理由に52店舗も閉店するということがありました。どこも人材不足で時給がぐんぐん上がっており、高騰する人件費が払えなくなったというのです。

それはつまり、これまで低賃金によって支えられてきただけで、それがなければ成り立たなかったということです。

そういう店は、そもそも儲かっていなかったのです。**人件費が高騰したからではなく、「儲かっていなかったから閉店します」というのが正解**でしょう。

そういう企業を、外国から安い人材を呼び寄せてまで延命させる必要があるのでしょうか。まともな人件費を支払うと成り立たない企業が今後淘汰(とうた)されていくのは間違いないと僕は思っています。

移民政策の問題

政府は移民を増やし、彼らに働いてもらうことで労働力不足を解消させようとしていますが、実際の現場での外国人実習生の扱いはひどいものです。

地方のランクの低い大学が、大学になど来ないことを承知のうえで外国人を入学させています。そして、外国人のほうは、朝から晩まで奴隷のようにアルバイトをしているケースが多いのです。こうした移民は、受け入れる側にもそれなりの覚悟が求められます。「いいとこ取り」ばかりできません。

かつてフランスは、アラブ系の移民が高い確率で人種を越えて結婚しました。それが、いい意味でフランスに流動性をもたらしていたのが、今はアラブ系同士の結婚が増えています。ドイツでも、トルコやシリアの移民はなかなかドイツ社会に溶け込もうとしない傾向にあります。

つまり、**移民政策は下手をすると、人種間の融和よりも対立の構図を生み、極端な右傾化を呼ぶことにもなりかねない**のです。

日本は「拒否できる」特殊な国

日本の移民問題の未来を語るうえで大切なのは、日本が抱える特殊な事情を理解しておくことです。

日本は「移民を拒否できる国」なのです。ヨーロッパの国、たとえばフランスでは多くの国と陸続きなので、移民が入ってくるのを完全に防ぐことはできません。イギリスも島国ですが、鉄道用の英仏海峡トンネルがあり、列車に隠れて乗り込もうとする移民が後を絶たないようです。

一方、日本は島国であり、他国とつながる海峡トンネルなどもないため、招かれざる移民がほとんど入ってきません。ほかの国ではなかなか実現できない「移民を受け入れない」という方針を実行に移せる数少ない国なのです。僕はここに日本の可能性を見出しています。

移民は、先進国の労働力不足を補ってくれる存在です。ただ同時に、治安の悪化など、さまざまな問題が起こる場合があります。

そこであえて、「移民を受け入れない国」を選択するのです。

そうすれば、移民がいないことによる深刻な労働力不足を解消するために、ロボットやＡＩの開発が急ピッチで進み、国内のハイテク産業が復活する、なんてことが起こるかもしれません。

現状のまま、なし崩し的に移民を受け入れていれば、日本はほかの国と同じ方向に周回遅れで進んでいくだけ。**思い切って、移民の力に頼らないという方針にシフトしてみれば、世界の中で独自の存在感を出していくことができる**のです。

「定年」が死語になる

「高齢者」は75歳から!?

僕の周りには「働きたくない大人たち」が大勢いて、最低限の仕事だけこなし、あとはなんとなくだらだらと日々を過ごしています。彼らのように実践している人はまれですが、「許されるのならいますぐ仕事を辞めたい」と考えている人は結構いるのではないでしょうか。

でも、**これからの日本では、「死ぬまで働き続ける未来」がやってきます。**

現在、日本では65歳以上を「高齢者」と定義しています。かつ、65歳から74歳までを前期高齢者、75歳以上を後期高齢者としています。

しかし、この定義には医学的・科学的根拠はなく、実態にそぐわないのではないかという指摘があり、日本老年学会と日本老年医学界は、２０１３年からワーキングループを立ち上げ検討を重ねていました。
そして、２０１７年に以下のような分類提言がなされました。
65歳から74歳　准高齢者
75歳から89歳　高齢者
90歳以上　超高齢者
このワーキンググループによると、10年から20年前と比較して、現在の高齢者は、加齢にともなう身体的機能の変化が出現するのは5年から10年遅くなっているそうです。
また、まだ元気な高齢者自身、自分が「高齢者」に分類されることに違和感を抱いているという内閣府の調査報告もあり、このような提言がまとめられたようです。
つまり、この提言が実現すれば、**今後、高齢者は75歳以上になっていく**ということです。
こうした背景には、年金受給年齢を引き上げていきたい政府の思惑も見え隠れします。かつ、人口減少で労働力が減っていくことなどを考えれば、政府としては高齢者の雇用を増やす方向に動くことになるでしょう。

お金持ちだけが「定年する権利」を得られる

では、高齢者は左うちわでいられるのかといえば、そんなことはありません。まず、定年はどんどん引き上げられていくでしょう。

そもそも60歳で定年退職して、その後は年金で死ぬまで生活できるなんていう話が特殊。昭和の時代に、ごく限られた運のいい世代がいたということです。

多くの日本人が置かれた「貯蓄がたくさんある人は別として、そうでないなら生きるために働いてお金を得なければならない」という今の状態こそ普通で、やっと世界標準になっただけのことです。

これまでの日本は誰でも定年を迎えられる時代でした。しかし、今後の日本は違います。**お金に余裕のある人だけが「定年する権利」を得られる世の中になっていく**のです。お金のない人は、生活費を確保するために、死ぬまで働き続けなくてはいけません。

「半分リタイア」を目指せ

僕としては、一生働き続けるなんて絶対に嫌です。あまりに嫌だったので、今すでにパリで半分余生みたいな生活を送っています。

もし、僕と同じような考えを持つのであれば、現役世代のうちから準備を進めていく必要があります。97ページで述べたように、年金をもらうことはできても、それだけで暮らしていくことはできません。定年に踏み切ることができるよう、計画的に貯蓄を増やしていきましょう。

とはいえ、毎日の生活にやっとで、お金を貯める余裕なんてないという人もいるでしょう。そういう人は今の僕のように**「半分リタイア」を目指して、何かしらスキルを身につけるといい**と思います。

60歳を過ぎて、コンビニ店員や宅配便の配達員など、肉体労働をするのは大変です。それに、そうした仕事は時給も安いので、長時間働かなくてはいけなくなります。しかし、スキルがなければ仕事を選ぶことができません。

「定年はできないけれど、体の負担の少ない仕事で自分のペースで働く」という生き方を実現するためにはプログラミングなどのスキルを磨いていくべきなのです。

さっさと定年して悠々自適な生活を送るか。ムリのないペースで働き余暇を楽しむか。現役世代に混じってきつい仕事に従事し続けるか。

今後の日本人はこの3パターンに分かれていくのです。

「素人革命」を起こせ！

動画が人生を変えてくれる

ここまで「給料が下がる」や「優秀な若者の海外流出」、「定年がなくなる」など、先行きの暗い予測が多かったので、ここで一つ、明るい展望を紹介しておきましょう。

これからは**誰もが成功のきっかけをつかむチャンスがある時代になっていく**のです。

やり投げで世界陸上の金メダルを取ったジュリアス・イェゴというケニアの選手は「ユーチューブマン」とも呼ばれています。

２０１６年のリオデジャネイロオリンピックでも銀メダルを獲得し、２０２１年の東京オリンピックにも出場しました。

彼は自国にいい指導者がいないことから、YouTubeを見ながら独学で訓練し、金メダリストにまでなったのです。

日本にも、YouTubeで学び、ベースボール・チャレンジ・リーグで活躍する杉浦健二郎さんがいます。彼は、大学生のときに草野球チームに所属しながらYouTubeで技術を取得。今は、150キロの直球のほか、カットボール、スローカーブ、高速スライダー、ツーシームなど豊富な球種を持っています。

これまで、スポーツは指導者に教えてもらわなければ大成できないケースがほとんどでした。

ましてや、プロになって稼ぐためには、強豪校に入って有名な監督の下で指導を受け、激しい練習にも耐えねばなりませんでした。

どんなに生まれ持った才能があっても、お金がなくて学校に行けなかったり、いい指導者に恵まれなかったりしたことで、芽の出ない人がどれだけいたことでしょう。

でも、今はそうではありません。

ネット上には、一流の人が教えてくれる動画がたくさんあり、「自分にとってなにが必要なのか」さえわかっていれば、とても効率よく学べる時代です。

「なんでも学べる時代」が来た

たとえば、これまでだったら、寿司職人になるには封建的な師弟制度の店で、何年もの下積みを経て、ようやく指導を受けられるというレベルでした。

しかし今ではYouTubeで「寿司の握り方」と検索すれば、動画がいくらでも出てきます。となれば、センスさえあれば、素人が簡単に寿司屋を開店できるのです。


子どもたちの勉強についても同じことが言えます。

今は、有名な塾講師がいろいろ動画をアップしています。

はっきり言って、人気のある塾講師のほうが、学校の先生よりはるかに教え方はうまいし、わかりやすくて面白い。

こうしたものを視聴することで学力が上がるだけでなく、「学ぶことは楽しい」と感じてもらえたら、それはすばらしいことでしょう。

インターネットがもたらした希望

子どもがYouTubeなどを見ることに反対する親もいます。ネット上にはさまざまな情報が溢れているために、子どもが悪いことを覚えていくのではないかと恐れているのでしょう。

しかし、むしろ逆だと僕は思っています。

子どもたちはインターネットでいろいろ検索することで、広い世界があることを知ります。世の中にはいろいろな仕事があって、いろいろな生き方があることも知ることができます。

その中で、自分は何をしたいのか、どこに身を置くべきなのか、そのためにはどうしたらいいのかについて考え、子どもなりに具体的な方法を探っていくことが可能になります。

インターネットがなかった時代は、「音楽で身を立てたい」と思ったら、テレビに出たり、有名なフェスに出演したりといった正攻法しかありませんでした。それはあまりにもハードルが高く、成功するのはごく一握りの人だけでした。

でも、YouTubeには、無名な人がたくさんいて、歌を歌ったり、楽器を弾いたり、自作の曲を発表したりしています。そして、動画の広告収入を得たり、生配信で投げ銭をもらったりしてお金を稼ぐことができます。僕自身も、2時間ほどの生配信で、テレビ出演料の何倍ものお金を視聴者から受け取っています。

そういう世界があることを知れば、無理なメジャーデビューを目指さなくとも音楽で生きていく方法をつかんでいけます。**本当に自分の可能性について考えられる場を、インターネットは提供してくれる**のです。

大人にとっても、将来のある子どもにとっても、素人が革命を起こせる時代が来たわけです。

Chapter

4

生活

「縮小する国」で生きるということ

崩壊は「地方」から始まる

人口減少がもたらす未来

「日本に帰ってくるとしたらどこに住みますか？」とインタビューで聞かれたことがあります。インタビュアーの人はこの質問を通じて、「ひろゆきが考える将来性のある地域」を知りたかったのかもしれません。

僕はそのとき、「地方の田舎で引きこもり生活をすると思いますが、ほとんどの人にはおすすめしません」と答えました。なぜおすすめしないかと言うと、**人口減少のあおりをもろに受け、地方の生活がどんどん不便になっていく**からです。

人口が減ることがどういう未来につながるか。それを示す象徴的な事案があります。

ＪＲ北海道は２０２１年、利用客の少ない18駅をダイヤ改正に合わせて廃止しました。地域の住民からは存続を希望する声がずっとありましたが、コロナ禍が止めを刺した形です。たまにしか利用客がいないような駅を住民のために守っていては、ＪＲ北海道自体を潰すことにもなりかねないので、やむを得ない選択でしょう。

また、日本で建設してから50年以上経つ橋梁(きょうりょう)は、現在でも約２割を占めており、２０２３年には約４割になるそうです。そして、そのほとんどは、撤去されればいいほうで、通行止めという処置がとられるようです。

つまり、その地域の住民にとって、もう渡れる橋はなくなるのです。


今後はこういった地域がどんどん増えていきます。民間の有識者がつくる「日本創成会議」は２０１４年、**全国の市区町村１７９９のうち、８９６が「消滅可能性都市」に該当する**と指摘し、話題を集めました。つまり、全国の自治体の半数が消滅の危機にあるということです。今後は北海道に限らず、交通インフラの整った便利な暮らしがしたいなら、都市部に移住するしかないのでしょう。

少子高齢化が進めば、税金を納める人も減り、お金はどんどん足りなくなります。お金がなければ、人々の暮らしが不便であろうとなかろうと、どうにもすることはできません。

インフラも選挙ももう限界

地方のインフラが保てなくなっているのは、前述したようにメンテナンスにあてるお金がないからです。

高度経済成長期には国からインフラ整備のお金がどんどん出たし、地方自治体もそれを大歓迎しました。自分たちの村や町が便利になるだけでなく、地元の建築業者にお金が落ちて、それによって税収が増えるといううまみがあったからです。

しかし、「その後のメンテナンスはどうするのか」については考えなかったか、先送りしてしまったために、今になって大きなツケが出てきているわけです。

189ページのグラフは、国土交通省が発表している「地域ごとの将来推計人口の動向」です。

東京でも地方でも、今後、人口は減り、高齢者の割合が大幅に増えていきます。

高齢者の政治的な発言力が強まる「シルバーデモクラシー」が言われるようになって久しいですが、それは、もはや深刻な域に達しています。

地域ごとの将来推計人口

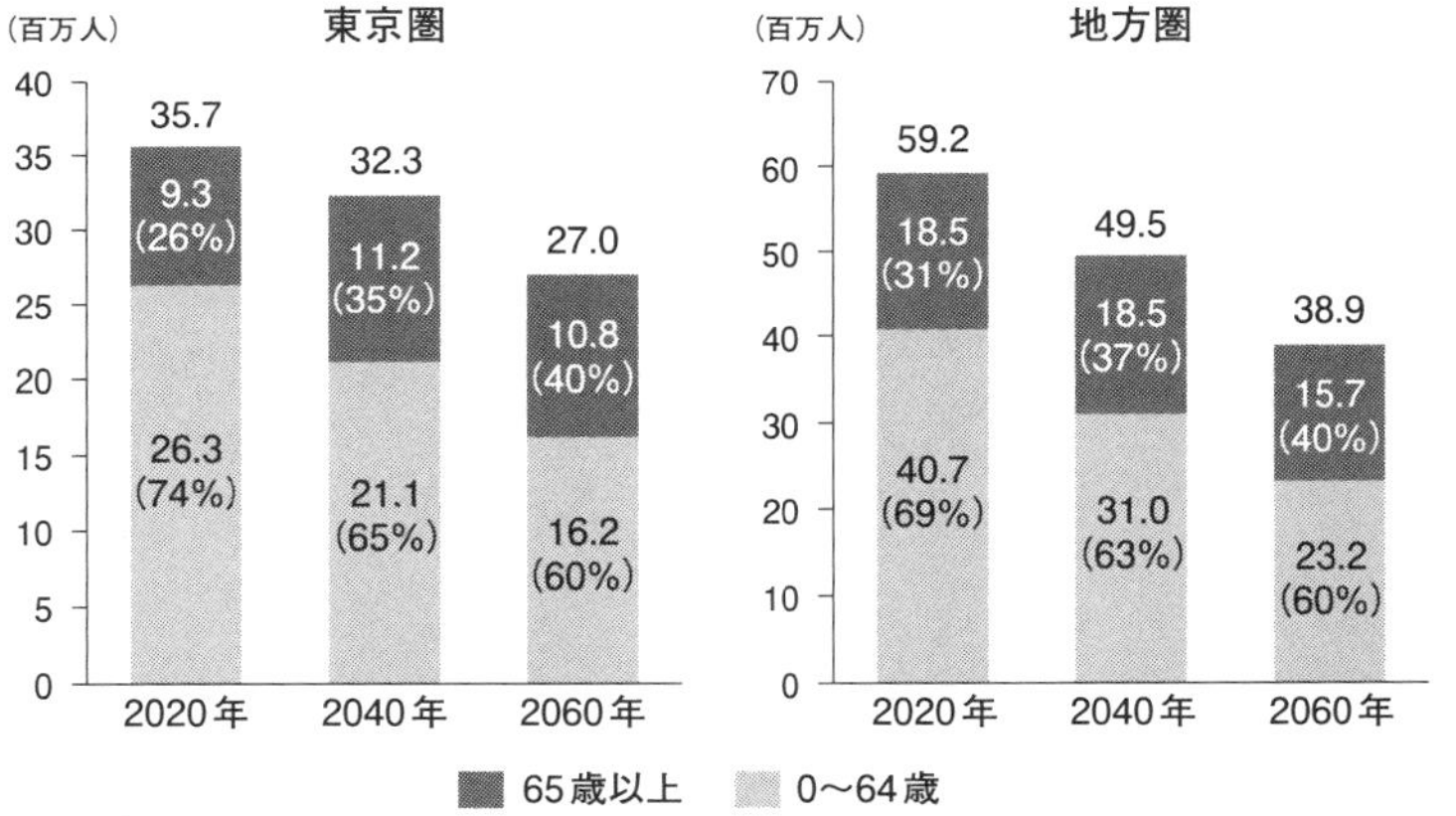

出典：国土交通省「国土のグランドデザイン2050」より

高齢者は、自分がもう生きていない未来のためよりも、目の前のことに税金を使ってくれる政治家に1票を入れます。老朽化したインフラも、別に無理に整備してもらう必要はないのです。

一方で、将来を大事に考える若者たちも1票を持っています。でも、その人口は高齢者より少ないので、いくら真面目に投票しても結局は勝てません。

となれば、なおさら、地方のインフラを新しくしていくことは困難なわけです。**日本の崩壊**

は地方から始まっていくのです。

一極集中の流れは続く

コロナ禍では人混みを避ける傾向が強まり、またリモートワークも増えたために、都心から郊外や地方へと移住する人も出てきました。

僕自身についていえば、もともとフランスに住んでいながらリモートで日本の仕事をこなすことが多かったくらいですから、最初に述べたように、もし日本に帰るときが来たら田舎暮らしを選びます。

しかし、僕のようなケースはまれで、ほとんどの日本人は大都市やその周辺に留まるほうがいい。日本では、大学などの教育施設も、病院も、劇場も大都市に集中しており、便利な暮らしを享受するために、大都市にアクセスしやすい場所に住むべきなのです。

ましてや、人口が減ってくれれば、都心の物件を入手するための倍率も下がるわけですから、一極集中はますます進むでしょう。人口が減少していく中で、生活を維持していくには、人々が集まって暮らすしか選択肢は残されていないのです。

逆に言えば、「その他の地域」は荒廃していく可能性大です。

すでに少子化は進行していたものの地価が暴騰していたバブルの時代には、一般的なサラリーマンにとって都心に住むのは夢のまた夢。

多くの人が「○○ニュータウン」と名付けられたような郊外のベッドタウンに家やマンションを買いました。

しかし、**郊外のベッドタウンは、今後高齢化が進み、お金を使ってくれる現役世代がいなくなることで商店などが減り、どんどん暮らしが不便になります。**そして、それが原因でさらに人が寄りつかなくなるという負のサイクルが生まれます。

取り壊すことすらできない「空き家問題」

地価が高騰している時代には、どんなところであれ土地を相続できるのはありがたいことでした。しかし、今は「かえってお荷物」となり得ます。自分が住むわけでもなく、借り手がつくわけでもない。それでも、持っていれば相続税がかかるのです。

相続した土地が都心の便利な場所にあれば、いずれ売れる可能性はあります。しかし、駅から遠いところや地方では、それもままなりません。

こうした物件は、持ち主だけでなく、地域社会にとっても悩みの種となります。持ち主は、価値もない家にお金をかけるのは嫌だから手入れをしません。そのうちに、屋根ははがれ、窓ガラスは割れ、ネズミが徘徊する危険物件となっていきます。周囲の住民は「せめて取り壊して更地にしてほしい」と望みますが、ただ家を壊すだけの目的でお金を出す持ち主は多くありません。

自治体は個人の財産権を理由に積極的には動きません。というか、自治体にも空き家問題に対処する財政的な余裕がありません。やがて、持ち主さえ死去してしまい、いったい誰が責任者なのかもわからない空き家が、地方や郊外を中心に激増するでしょう。野村総合研究所の試算によると、２０３３年には空き家率は30・４％まで上昇する見込みだそうです。**およそ3軒に1軒が空き家というとんでもない時代がすぐそこまでやってきている**のです。そして、そういう事態を恐れて多くの人がさらに都心に集中します。それができない人だけが荒れた地方に取り残されていくという二極化が、これから進行するでしょう。

ネットの「治安悪化」が止まらない

日本人の「モラル低下」が起こる

イギリスの経済誌『エコノミスト』が、国や地域の平和度を数値化し発表している「世界平和度指数」というものがあります。

これによると、日本は毎年上位にランクインしており、２０２０年は１６３の国や地域のうち９位となっています。実際に、海外からの旅行客にも、日本は治安のいい国として高い評価を受けています。

こうした日本の「安心・安全」をつくり出しているのは、人々のモラルです。日本人は総じてモラル意識が高いようです。

これは、大多数の国民が経済的に安定している状態だから可能なわけで、「一億総中流」が言われた格差の少ない時代にはとくに、人々は他人を気づかう余裕がありモラルを守りやすかったのだと思います。しかし、今後日本人がどんどん貧しくなっていくので、モラル意識を持ち続けることは難しくなってきます。まずは**匿名性の高いネット上で「治安悪化」が起きていく**でしょう。

「どこまでが悪口か」問題

実際に、芸能人など、自分とは縁のない人に対し、誹謗中傷する書き込みが後を絶たず、それによって被害を受けた人が自殺に追い込まれるケースも増えています。『テラスハウス』に出演していたプロレスラーの女性のケースなど記憶に新しいところです。彼女のＳＮＳアカウントは、人格否定や容姿に対する中傷のコメントで溢れていました。何十人もの人に一斉にネガティブな言葉を投げつけられて平気な人などいません。

僕は今、「ペンギン村」という有料のネットコミュニティを運営しています。有料にしているのは、メンバーの質を一定程度確保し、誹謗中傷などのもめ事が起きないようにと考えてのことです。

それでも、「どこまでが悪口か」というラインは人によって違います。本人は「単純に感想を書いただけ」のつもりでも、傷ついてしまう人はいます。そういうラインをみんなが納得するところで引くのは不可能です。さまざまな人が集まるネット上でのコミュニティ運営は今後より一層難しくなることを実感しています。

僕自身は誹謗中傷がはびこるネットの未来を案じています。そうした未来を少しでも変えるために**「もっと褒める機会を増やしていこう」と思っています。**実際に2020年4月から定期的に、コロナ禍で必死に頑張っている専門家に感謝を伝えるツイートをしています。

ネットにずっと親しんできた僕は、誹謗中傷の声を完全になくすことはできないことは理解しています。

よく評論家から「匿名で書き込みできる2ちゃんねるが誹謗中傷や差別の温床(おんしょう)になっているから、サイトを閉鎖しろ」などと言われることがありますが、たとえ2ちゃんねるを閉めたところで、ほかのサイトで行われるだけなので、意味がありません。匿名でどんなことでも発信できるというのが、インターネットの特性そのものなのです。

だから、「頑張っている人をしっかり褒める」ことで、当事者に〝感謝の声〟を届けていこうとしているのです。

「サザエさん炎上騒動」から見えてくるもの

誹謗中傷と同時に問題視されているのが「ネット炎上」です。たとえ大多数の人が問題ないと思うことでも、ネット上で少数の人の意見が可視化されることで「炎上」がつくられてしまいます。

これを象徴しているのが、「サザエさん炎上騒動」です。磯野家がGW中に旅行に出かけるという内容が「コロナ禍で外出自粛中なのに、不謹慎なのではないか」と炎上しました。

しかし、多くの人がこの炎上に疑問を持ったはずです。実生活で旅行ができないからと言って、アニメの旅行描写を批判するのは明らかにやりすぎでしょう。

ブロガーの徳力基彦（とくりきもとひこ）さんはこの騒動を時系列でまとめ、「炎上のきっかけは番組の放送ではなく、サザエさんの炎上を報道する記事だった」ことを明らかにしています。

つまり、ほんの少数だったネガティブな意見を拾い上げて「炎上」と記事化することで、その記事自体が話題となり、炎上状態になったのです。

こうした**「炎上の既成事実化」はSNS利用者が増え続ける以上、今後もどんどん発生しやすくなる**でしょう。

「匿名の誹謗中傷」と「炎上の既成事実化」にどう対応するか。それが今後のインターネットの未来を考えるうえで重要な視点になるのです。

日本に重くのしかかる「引きこもり」問題

40歳過ぎの引きこもりが増加

僕は「引きこもり」を自称することがありますが、家にいながらオンラインでいろいろな人と交流しつつ、仕事をしているので、正確には引きこもりとはいえません。引きこもりとは「仕事や学校に行けず家に籠(こも)り、家族以外とほとんど交流がない人」のことを指します。

引きこもり問題に詳しいジャーナリストの池上正樹さんによれば、2010年頃と比較しても、引きこもりは増え続け、その裾野が広がっているとのこと。従来の、最初から社会に出ようとしないパターンから、一度、転職などに失敗して仕事を失い、そのまま引きこもってしまう「失業系引きこもり」と呼ばれるケースが増えたそうです。

日本のマーケットが小さくなり、ＡＩが活躍する今後は、なおさら仕事は見つけにくくなります。しかも、何社も面接を受けてようやく採用されたのがひどいブラック企業だったりすれば、よけいに気持ちは折れ、引きこもりたくもなるでしょう。

とくに問題なのが、40歳以上の年代に、そうしたケースが増えていること。**40歳以上の引きこもりは現在１００万人もいます。**

僕が関わっている企業でも、求人を行うと、40歳を超えてから2年以上失業状態だったような人たちからの応募があります。

同じ2年の失業期間があったとしても、20代ならば、うまくいかなかったときに「もう一度、転職してみたらいいじゃない」と言えるし、企業が支払う賃金も少なくて済みます。でも、40歳を過ぎていればそうもいきませんから、どうしても若い人を採用することになるのです。

このように、正社員はもちろんのこと、アルバイトでも40歳過ぎの人を積極的に採用する企業は多くはありません。というのも、そのアルバイトに仕事を教えるのは30代くらいのスタッフです。彼らにとって「未経験の年上」はやりにくく、歓迎されません。

つまり、40歳過ぎての引きこもりには、なかなか出口がつくれない状況なのです。

「親からの自立」が必要

40歳過ぎの引きこもりの多くが、団塊の世代を親に持っています。

団塊の世代は、自分たちが頑張って日本経済を引っ張ってきたという自負があるのか、子どもにもその価値観を押しつけがちです。

「引きこもってネットばかりやっている」「昼夜逆転の生活を送っている」などと心配しているようですが、それのどこがいけないのでしょう。はっきり言って僕も、昼夜逆転でネットばかりやっていますし、用がなければ外出しません。でも、とくに健康を害しても困ってもいません。

だから、自分たちの価値観と照らし合わせて今の子どもの生き方を否定するのではなく、ネットばかりやっているならその集中力を認めたらどうでしょう。

そのうえで、**「1人で暮らす」という選択肢を与えればいい**のです。地方なら3万円から4万円もあればアパートが借りられますから。

「居場所」をどうやってつくるか

自立にあたって、国の対策としては生活保護があるわけで、まずはこれを利用するのが一番です。

ところが、「他人に迷惑をかけたくない」「家族から反対された」などの理由で、生活保護を受けることを嫌がる人が結構います。

こうした状態で、誰が彼らを救うのか。一つは宗教的な施設でしょう。お寺だったり教会だったり、「お金がないなら出て行け」とは言わないで、何か手伝いをさせてくれるようなところです。

ただ、一歩間違うとおかしな新興宗教にはまってしまうケースもあります。オウム真理教に入った人や、かつて北朝鮮を「地上の楽園」と信じて渡った人の中には、社会に自分の居場所がなかったと話す人もいました。

引きこもりの人たちは、社会のシステムにはなじめなくても人間自体が嫌いなわけではなく、「人の役に立ちたい」という気持ちは持っていたりします。

だから、ボランティアなどに参加してもらうのもいいでしょう。

ボランティアにはごみ拾いや炊き出しなど、黙々とこなせる作業がいろいろあるので、人と接してきた経験の少ない人たちでも活躍の場を用意できます。そうした作業に慣れてきたら、少しずつコミュニケーションが必要な役割を担ってもらえば、自然と社会に復帰するきっかけをつくれるでしょう。

いずれにしても、**失業や給料ダウンが増えていけば、大人の引きこもりはさらなる増加が見込まれます。**彼らの居場所づくりと社会復帰支援は日本の喫緊の課題なのです。

「選挙ハック」されるとヤバい

大統領選は「ポピュリズム同士の戦い」だった

ヨーロッパ諸国ではポピュリズムの台頭が問題になっていますが、それはアメリカも日本も変わりません。**基本的に1人1票を持つ民主主義国家では、政治家が大衆に迎合するのは止められない流れ**だと思います。

ヨーロッパでは移民に対する反感が強く、そこをターゲットとしたポピュリズムが生まれやすくなります。とくに、貧困層には「移民のせいで自分たちが貧しい生活を強いられている」と信じて疑わない人が多いのです。

これはアメリカも同様ですね。

ラストベルトと呼ばれる地域で働いていた失業者たちは、アメリカ国民が自国の車を買わなくなったことで、GM（ゼネラルモーターズ）の工場が潰れ仕事を失ったわけです。ところが、彼らは「メキシコ系移民のせいで仕事がなくなった」と思い込んでいます。そして、その思い込みをたくみに利用したのがドナルド・トランプです。

そのトランプが2020年の大統領選で敗北したことを受けて、「今後ポピュリズムは勢いを失っていく」と主張する人がいます。しかし、この主張は前提が間違っています。そもそもジョー・バイデンとトランプの選挙戦は「ポピュリズムvsポピュリズム」だったのです。

トランプの共和党は「小さな政府」を基本理念としていて、政府の市場介入をできるだけ少なくする方針を取っています。一方、バイデンの民主党は「大きな政府」を掲げ、積極的に市場に介入し富の分配をしていく方針です。実際、バイデンは「1400ドルの現金給付」などの経済政策を打ち出しています。自国民にお金をガンガン配る手法は、かなり大衆に迎合したものだと言えます。

そんな共和党にあって、トランプがポピュリストとして振る舞ったのは、国民の支持を得るために最も有効な手段だからでしょう。

要するに、**2020年の大統領選ではどちらも選挙ハックとして、ポピュリズムを**

採用していたのです。

日本も、今後貧しくなればなるほど、欧米のように、ポピュリズムが台頭してくるでしょう。日本では在日外国人に対するヘイトスピーチが問題になっていますが、そういう傾向は、人々が貧しさを感じるのと比例して強くなります。なぜなら、貧困層に属する人たちは「自分たちの生活が苦しいのは、ほかに誰か得をしている人がいるからだ」と考え、エリート層への不信感や移民労働者への反発を抱きがちだからです。

泡沫候補が当選するわけ

日本の地方選挙では、投票数の2%を得れば当選すると言われています。では、2%とは具体的に何票くらいなのでしょうか。

人口5万人の都市でたとえると、選挙権を持っているのはざっと4万人程度です。その全員が投票に訪れるわけではなく、投票率は45%くらいのことが多いようですから、有効票数は約1万8000票となります。

1万8000票の2%は、わずか360票です。

支持政党がなく、応援している候補者もとくにいないという人の中には、悪目立ちしている候補者に面白がって投票する人が結構います。

すると、360票くらい集まってしまうんですね。しかも、今後は人口減少により有権者数も減るので、当選ラインの票数はどんどん下がっていきます。

それをわかったうえで、地方議会に党員を送り込んでいるのが「NHKから国民を守る党」、通称N国（2020年頃から何度も政党名を変えていますが、ここではN国と表記しておきます）の立花孝志さんです。N国は、2019年の参議院選挙でも選挙区合計で2%以上取り、「政党」として認められる要件を満たしました。また、すでに26人の地方議員を誕生させています。

もともと立花さんはNHKの職員で、決算を担当する立場にありました。そのときにNHKの裏金づくりについて把握し、それを週刊文春に告発した人物です。

彼の場合は、そうした自分の経験からNHKをぶっ壊したいわけですが、ほかにも、**何か自分の目的をとげる手段として、選挙を用いてくる人や集団は今後も増えていく**でしょう。

つまりは、政治以外の目的で選挙をハックすることができるようになります。

とくに、立花さんのようにＳＮＳをうまく使ったり、ビッグデータの解析を行ったりといった戦略をとれば、かなりの勢力となり得ます。

今後は、Ｎ国のような政党が何か仕掛けてきたときに、かなりの票がそちらに流れるということが増えるでしょう。

もっと言うと、選挙が行われるだけマシという見方もあります。２０２１年に行われた都議会選挙では、58年ぶりに無投票当選が出ました。無投票となった小平市の有権者たちは選ぶことすらできなかったわけです。今後人口の減少で議員の成り手がいなくなり、**無投票当選が頻発すれば、もはや民主主義は成り立ちません。**

メディアは今回の無投票当選について、そこまで大きく報じていなかったようですが、日本の民主主義の根幹を揺るがすような事態が起こったと考えるべきです。今ですら、政治の腐敗が嘆かれていますが、十数年後、「あのときはまだ選べるだけよかったな」などと振り返ることになるかもしれないのですから。

政府が「少子化を加速」させる

少子化は政府の責任

政治家の多くは恵まれた環境で育ってきたからでしょうか、共働きしながら子どもを育てる若者たちの苦労などわからないようです。

とくに、おじさん政治家は「便利な今の時代は、俺たちの頃よりもずっと子育てはしやすいはずだ」などと思い込んでいるのですね。

しかし、現実には育児休暇はまだまだ取りにくいし、認可保育園にはなかなか入れません。日本という国で子どもを産んで育てるのは大変なのです。

それはデータにも表れています。２０２０年の出生数は１８９９年の調査開始以降最少の84万８３２人でした。合計特殊出生率は１・34と、人口維持に必要な２・07を大幅に下回っています。日本ではすでに深刻なレベルで少子化が進行しているのです。

国が本気でこの状況を変えようと思っているなら、もっと少子化対策に予算を割り当てるべきでしょう。

フランスでは、未入籍の事実婚や婚外子が普通のことで、たいてい共働きです。しかし、補助金で安くベビーシッターを頼めるなど手厚い政策をとっているために、少子化を克服することができています。日本でも共働き世代が増えてきているので、ベビーシッターなどの活用が必要です。

しかし、キッズラインが２０１７年に行った調査だと、ベビーシッターを利用したことがあるという人はたった４・７％しかいませんでした。共働きなのに、ベビーシッターも利用しないとなると、子育てはかなり大変です。仕事との両立が難しいから子どもをつくるのはやめておこうという結論になるのは当然でしょう。

僕は、**「少子化は政府の責任」**と、ことあるごとに言っています。政府が使うべきところに税金を使わないでいるから、日本の少子化はまったく解決の兆しすら見えないのです。

政府は２０２２年10月から、高所得世帯向けの「児童手当」給付を廃止することを決めました。該当するのは年収1200万円以上というごく一部の世帯ではありますが、少子化が異常なスピードで進んでいく中、児童手当を廃止するという決定には驚かされます。金銭的に余裕のある夫婦が子どもを諦めたくなるような政策を打ち出すなんて、どういうつもりなのでしょうか。

政府は浮いた財源を待機児童ゼロの実現に向けて使っていくと言っていますが、お金を投じるまでもないかもしれません。少子化により、子どもの数が減れば、待機児童も減っていくのですから。**待機児童を減らすために、少子化を加速させるように誘導するなんてとても合理的ですね。**

お金がないから子どもを持てない

内閣府が行った調査で「どのような状況になれば結婚するか」という問いに対して一番多かった答えは、「経済的に余裕ができること」というものでした。

子どもを持たない理由としては、「子育てや教育にお金がかかりすぎるから」という答えが8割を占めています。つまり、お金さえあれば、結婚して子どもを産みたいと考えている人が多いのです。

日本では、赤ちゃんの99％が20歳から39歳の母親から生まれています。

つまり、少子化対策としてはこの世代にお金を回すことが重要で、それをわかっている政治家はたくさんいます。それでも、どうしてそれが実現しないかというと、政府を運営するのは国会議員の半数以上を押さえる与党であり、国会議員は国民が選挙で選ぶからです。

国会議員は、人口の少ない若年層の意見を聞いていたら選挙に負けてしまいます。だからお金を回せない。その歪(ゆが)みが形として現れたのが、今回の児童手当廃止だと思います。

調査の結果からわかるように、「お金さえあれば子どもを持ちたい」と考えている人はたくさんいます。しかし、政府は積極的にお金を出す気がない。したがって、少子化が今後どうなるかを予測するのは簡単です。**これからも少子化はどんどん進行していく**のです。

「オンライン教育」の行く末

「高収入の親の子どもは高収入」——残酷な真実

国の将来の発展度合いは、人口の多寡とその教育レベルにかかっています。

より多くの国民がより質の高い教育を受けられれば、その国の将来は明るいものになります。

だから、人口が増えることがあまり期待できない先進国では、「頭のいい子が学費を払えないことで勉強を諦めるのはもったいない」と考え、多くが学費を安くする方向に進んでいます。

たとえば、フランス、ドイツ、オーストリア、スウェーデン、フィンランドなどのヨーロッパの国々は、地元の大学やＥＵ加盟国の大学に通う場合、学費は無料だったりします。こうして、将来の国を担う人たちの教育レベルを上げようとしているのです。

一方、先進国の中でアメリカは、学費の高さで突出しています。日本も、アメリカほどではないにしても大学に行くには経済力が必要です。

こういう状態だと、貧乏な家庭の子どもは大学に進めません。大学を出ていないと就職で不利だし、そもそも学習習慣が乏しいので仕事の習得にも苦労をします。結局、社会に出ても高い給料をもらえる仕事に就けないという不利な状況に置かれます。

すると、その人たちが築く家庭はやはり貧乏で、子どもは大学に行けません。

つまり、**親世代の収入格差は子どもの教育格差を生み、教育格差は収入格差を生むという負の連鎖から抜け出せなくなってしまう**のです。

時代遅れの教育方針

親の収入による教育格差のほか、**日本の教育のどこに問題があるかと言ったら、旧態依然とした考え方**でしょう。

ほかの国では当たり前に使われているタブレット端末も、導入されていない学校が多くあります。

タブレットなら大量の資料も入れられるし、紙の印刷物より色はきれいだし、削除も簡単だし、何年も使えて安上がりです。もちろん、それによってランドセルの重量は格段に減ります。

そして、タブレットの最もいいところは、YouTubeなどの動画も見られることです。たとえば日本の工業について学ぶときに車の組み立て動画を見る、といったより深い学習が可能になります。

しかしながら、子どもがインターネットに触れることには、さまざまな意見があります。たしかに、ネット上の情報は玉石混交で、とんでもなく悪質なものも紛れています。

でも、だからこそ学校で学ばせるべきだと思うのです。溢れる情報の中から取捨選択ができるか。しっかり情報を見極める目を育てるという意味でも、タブレットを活用した学習は有意義でしょう。

ただし、つまらない授業しかできない先生は嫌がるでしょう。タブレットが手元にあったら、子どもたちは、つまらない先生の話を聞かずにタブレットに夢中になり、授業に集中しなくなります。しかし、元はと言えば「つまらない授業」をしている先生側に問題があります。

そういう**大人の事情が子どもたちの利便性を害するだけでなく、日本を遅れた国にしていく**ことを忘れてはなりません。

オンライン授業を「当たり前」にする

諸外国と比較して日本ではそもそものIT化が遅れていたため、コロナ禍で急遽オンライン対応を迫られた現場で多くの混乱を生み出しました。

たとえば、オンライン授業を取り入れた学校とそうではない学校では授業の進度に違いが出ています。それに、オンラインで教えることが上手な先生と下手な先生がいて、子どもたちの学力に差がつきかねない状況です。

僕は、この機会に、教育制度そのものを見直してはどうかと考えています。

日本の義務教育では、学力ではなく年齢で学年が決まります。そのため、授業内容をよく理解できていない子も、４月には上の学年に進級します。

そういうことをせず、理解できていないなら留年させていいと僕は思います。「留年なんてさせたらかわいそう」という意見も出ると思いますが、授業の内容が理解できないまままずっと学校に通い続けることのほうが、ずっとつらくてかわいそうだと思うのです。

しかも、それで大人になった場合、その子にとって「学校で教えてもらったことは、社会に出て何一つ役に立ちはしなかった」という結果になります。つらい思いをして通い続けたのに、です。

一方で、オンライン授業が主流になれば、留年した子も、いじめに遭っている子も、病気の子も授業に参加しやすくなります。

オンライン授業が上手な先生と下手な先生がいるなら、分担を決めて連携し合えばいいのであって、担任がすべて仕切ろうとする必要もないでしょう。

あるいは、先生とは別にチューターが存在してもいいはずです。授業でわからなかったことを理解できるまでチューターに質問したり、優秀な子にはその先のことも学ばせてあげたっていいでしょう。

教育のＩＴ化は子どもたちの学習効率を底上げする力があります。コロナ禍をきっかけにして、**古い教育方針を一気に改革できれば、日本の未来は明るい方向に変わっていく**のです。

「大学大倒産時代」はすぐそこ

大学受験は「楽勝」になっていく

僕たちが学生の頃は、代々木ゼミナールは最も有名な予備校でした。その代ゼミが経営不振で校舎の7割を閉鎖し、模擬試験も廃止することとなりました。ある専門家はその原因について「浪人生が減ったこと」を一番に挙げています。たしかに、代ゼミは浪人生のフォローがウリだったところがあります。

ところが、代ゼミが絶好調だった１９９２年に約40万人いた浪人生は、今では約５万人と激減しているそうです。対して、現役生を対象にリモート授業などを積極的に取り入れてきた東進ハイスクールが業績を伸ばしています。

僕自身は浪人時代、予備校には行きませんでしたが、同級生はたくさん通っていました。予備校の授業の合間には、近くの公園でみんな休憩していたので、彼らに会いにその公園によく行っていた思い出があります。それぐらい僕が学生のときには浪人生がたくさんいたので、時代の変化を感じます。

では、なぜ浪人生が激減したのでしょうか。その最大の理由は少子化です。そもそも少子化で受験生が減れば、競争率が低下し浪人する必要はありません。

つまり、少子化によって大学受験も厳しさを欠くようになっていくわけです。

「大学無償化は賛成」だけど……

今は「大学なんて出ても意味がない」という意見もあります。たしかに、大学で習ったこととまったく関係のない仕事をしている人は多いし、高卒で起業して成功している人もたくさんいます。

しかし、就職において、大卒と高卒では給料だけでなく、与えられる仕事が違うのは事実だし、とくに国際的には学歴が非常に重視されます。インターネットの発達で、国境というものが薄れつつあり、そうした状況で仕事をしていくには、大学を卒業して損はありません。

たとえば、欧米先進諸国で働きたいと考えたとき、大卒の学歴がないとデスクワークのビザがおりません。いくら経験があっても高卒では難しいのです。将来的に日本より給料が高い国で働くためにも、「学歴はあったほうが得だ」という傾向は、今後さらに強くなっていくはずです。

だから、僕は「大学無償化」に賛成の立場です。

ただし、どこの大学に対しても税金を投入するべきとは思いません。

私立大学の中には、名前も聞いたことがないような学校があります。こうした大学では、留学生という名目で外国人を集めていたりします。その「留学生」たちは、実は単なる出稼ぎで、所在不明になることも多いのです。つまりは、大学が外国人の不法滞在に一役買っているわけです。

日本人がそんな大学を出てみたところで、何ができるようになるかは怪しい限りです。**無償化のための援助は、国のためになるような人材を育て得る一定の基準を満たす大学に留めるべき**でしょう。

淘汰は始まっている

もっとも、私立の偏差値が低い大学は、今後どんどん淘汰されていくでしょう。少子化が進めば、入ってくる学生も減り、経営がたち行かなくなるからです。

実際に、すでにその兆候は見えています。

旺文社教育情報センターが、2020年11月に公表したデータによると、明らかに、大学の生き残りは厳しくなっています。

具体的に、この50年間の変化を数字で見てみると、大学数は1971年度は389校だったのが2020年度には795校に倍増しています。

学生数についても、1971年度の146万9000人から、2020年度は291万6000人と倍増しています。ところが、2019年度からは3000人減っているのです。

学生数の倍増に合わせて大学も倍増してしまったのであれば、学生数の減少に合わせて大学も減少していくしかないでしょう。**若い人口がどんどん減っていくことを考**

えると、今後の大学経営は相当に厳しいものになっていきます。

文部科学省の調査報告「私立学校の経営状況について」によれば、赤字の大学は1992年ですでに13・8％あったのが、2017年には39・5に増えています。なお、女性の大学進学率は上がっており、2020年度の大学の女子学生数は129万4000人で、前年比1000人増。女子学生占有率も44・4％まで上昇しています。

一方で、短大では9割近くが女子学生であるのに、2020年度の短大の女子学生数は前年度より4000人減っています。このことは、短大はより経営が難しくなっていくことを示しています。

少子化が進んでいる日本で、大学の淘汰が進むというのは、至極当然の流れです。若者が集まってくる大都市圏以外の大学は今後かなり厳しい経営を強いられるのは間違いないのです。

Chapter

5

コンテンツ

YouTubeの次に来るもの

「確信犯的嘘メディア」が乱立

パクリが当たり前の世界

「嘘を嘘だと見抜ける人でないとネットを使うのは難しい」——僕は20年近く前、テレビの取材でこう発言しました。この状況は今でも変わっていない、というか、より一層顕著になってきています。

新聞や雑誌という紙媒体よりも、手軽に見ることができるのがインターネットのいいところです。一方で、常にその「真偽」が問題になってきます。

もちろん、紙媒体にも嘘はたくさん載っていますが、**ネットの場合、その責任の所在が曖昧**(あいまい)**なため、簡単にデマやパクリが流れてしまう**のです。

とくに、旅行や飲食系など、特定のテーマに絞って情報を収集し、掲載しているキュレーションサイトではパクリ傾向が顕著です。

まともに取材に行っていたらお金がかかるので、ネットで拾った写真や情報を加工して使って、ライターに記事を書かせるということがよく行われています。

ただ、そういうずるい仕事は、信用を大事にする真面目な会社はやりません。だから、その隙を突いてくるモラルのない会社がちゃっかり利益を得るという嫌な構図が成り立っています。

AIも見抜けない

マサチューセッツ工科大学の調査によれば、偽のニュースのほうが正しいニュースよりも拡散スピードがはるかに速く、正しいニュースが1500人に届くには、偽のニュースの約6倍もの時間がかかったそうです。

残念なことに、**人間は真実よりも嘘のほうが好み**なのかもしれません。

ネット上の偽情報を見抜く手段として、AIに期待する声もありますが、僕はその判断は難しいと思っています。数学のように答えがはっきり出るものならともかく、「鶏と卵どっちが先か」という議論のように、どちらが正しいとも判断がつかないことが世の中にはたくさんあります。そうした情報を整理し、判定を下すのはＡＩの不得意分野なのです。

確信犯にはなかなか勝てない

そもそも、嘘をつく人は確信犯で、最終的に得ができれば周囲からの批判などどうでもいいのです。

企業活動においても、科学的根拠がないのに「健康にいい」などとうたった商品を大手メーカーでさえ販売しています。異議を唱える人はいても、売ってしまえば利益になるのだし、場合によっては販売停止にすればいいだけのことです。

このように、**指摘されるかもしれないとわかっていながらの嘘が横行するのは、日本人や日本企業に、もうモラルを守る余裕がなくなっている**のです。

モラルを守ってみたところで得がない。むしろ、嘘をついてしまったほうが得をする。これからは、みんながそう気づいていくことでしょう。

真偽がわからないなら保留する

もう十数年前の話ですが、2ちゃんねるへの書き込みから生まれた恋愛物語『電車男』が一大ブームになったことがありました。書籍化、映画化、ドラマ化……と広がっていくにつれ、白熱していったのが「この物語は実話なのか論争」です。実話派とフィクション派で連日議論を戦わせ、お互い一歩も引かないまま、平行線をたどっていました。結局、結論は出ませんでしたが、最後のほうには「ひろゆき＝電車男説」も出ていたくらいです。

僕自身は2ちゃんねるの運営者だったこともあり、「真相」を知っていますが、一読者の立場からでは「電車男が実話かどうか」を見極めるのは不可能でしょう。それなのに、延々議論をぶつけ合う様子を見て、「この人たちはわからないことをわからないままにしておくことはできないのかな？」と思っていました。

情報の真偽が見抜けなくなっている時代に、ある物事が真実かどうかわからないときには、「わからない」という状態に置いておくのが一番です。

なぜか人は、「嘘か真実か」についてどうしても判断を下そうとしますが、宙ぶらりんに置いておけばいいのです。だって、僕たちの周りには、きちんと真偽を明らかにしなければならないことなんてそんなに多くないのですから。

たとえば、先ほどの「電車男」にしても、真相がわからなくたって何も問題は起こりません。そういうことは「保留」のままでいい。時間が経って、真実を見極めなければいけなくなったときや、新たな情報が出てきたときにあらためて考えてみればいいのです。

今後はモラルを守らない人たちによる「確信犯的な嘘」が増えていきます。残念ながら、彼らの嘘をつくスキルもどんどん上がっていくので、ネット上には簡単には真偽を判別できない情報で溢れていくでしょう。そんな中で、必要なのが「わからないままでいる」という姿勢なのです。

最後に、新たに一つ伝えたいと思います。これからは**「嘘か真実かを保留できる人でないとネットを使うのは難しい」**のです。

テレビは「高齢者向け」に特化していく

若者のテレビ離れは当然

若者がテレビを見なくなりました。
いくら予約録画ができて、CMを飛ばせる機能があったとしても、決められた時間に放送されるテレビはうっとうしい。YouTubeなどで配信されている動画なら好きなときに好きなように見ることができますから、わざわざテレビを選ぶ理由がないのです。

では、「ABEMA」はどうでしょうか。
ABEMAは、サイバーエージェントとテレビ朝日が出資し、「新しいテレビ」を目指して始めた動画配信事業です。狙い自体は悪くないと思うのですが、事業としてうまくいくかどうかは未知数です。

民放にもABEMAにも出演した経験から言うと、僕のような「知識人枠」のギャラはABEMAのほうが高い傾向にあります。

というのも、民放は出演すること自体がプロモーションになるのでギャラに関係なく喜んで出演するけれど、ABEMAは「無理して出ることもないよね」という人が多いから、どうしてもギャラが高くなっていくのだと思います。

そういう高コスト体質で、YouTubeなど個人が勝手に流している動画と戦っていくのはなかなか難しい。**ABEMAの今後は決して順風満帆とはいかない**でしょう。

もちろん、民放テレビ局も安泰ではありません。若者のテレビ離れが進み、企業から高額のCM料が取れなくなれば、給料も減るでしょうし、そもそも番組の制作費が出せません。

その一方で、受信料を集めることで安定して制作費を確保できるNHKは一人勝ち状態になるかもしれません。今後は、大河ドラマのように、大金をかけてしっかりしたものをつくれるのはNHKだけになるでしょう。

高齢者にはテレビは大事

では、民放テレビ局には存在意義がないのかと言ったらそんなことはなくて、高齢者には重要なメディアであり続けます。

コロナワクチン接種の予約騒動でもわかったように、パソコンやスマホを使いこなせずネットを使えない高齢者は大勢います。

彼らにとって、情報を得るのはもっぱら新聞かテレビ。なかでも、NHK以外は受信料もかからず、速報がキャッチできて、わかりやすく映像で見ることができるテレビは、情報源としてなくてはならないものです。

もちろん、娯楽としてもテレビは大事です。ただ、テレビ局の制作スタンスも変わってくるでしょう。これまでのように、**お金をかけて人気タレント主演のドラマを制作するという余裕はなくなり、高齢者中心のトーク番組など安くつくれるものが増えてくる**でしょう。あるいは、もっと直接的に高齢者からお金が取れる「テレビショッピング」は、ますます盛んになるでしょう。

欧米にはないテレビ文化

ちなみに、フランスにはいわゆる「テレビ芸人」は存在しません。もともと、主要なテレビ局が国営で、制作費にも恵まれていないので、ニュースや討論番組、スポーツ中継などを淡々と流している局がほとんどです。

旅番組もありますが、映像にナレーションが流れるだけで、日本のようにタレントが出演することはほぼありません。

ましてや、ひな壇にたくさんのタレントが並んで騒いでいるバラエティー番組など、フランスでは見たことがありません。テレビを主戦場に戦っている芸能人は、日本を含めたアジア圏に多いように思います。

しかしながら、そうした日本の芸能人も、これからは戦いの場を変えていくことになるでしょう。**テレビでの活躍の場が減ってくることは確実だ**と思います。それを見据えてか、YouTubeに表現の場を求めるタレントが増えています。こうした動きは今後ますます顕著になっていくでしょう。

「新聞」が生き残る唯一の道

「解約」を何より恐れる新聞社

２０１９年の消費税改正では「軽減税率」が導入されました。消費税が10％に上がる中で、食料品などの必需品は８％に据え置かれたのです。外食は10％なのにテイクアウトの場合は８％で計算するなど、あちこちで混乱が起きましたが、そもそも２％の差ってそんなに大きいのでしょうか。

１カ月の食費が５万円の家庭なら、２％はたかだか１０００円。このために、システムが複雑になって余計なお金がかかります。そして、そのお金は税金から支払われます。国民としては、もっと冷静な判断をするべきだったんじゃないかと思います。

しかし、やはり税率が上がれば国民の消費マインドは冷え込み、売り上げが減るというので、その軽減税率グループに必死で入ったと思われるのが「新聞」です。

おそらく、業界挙げて相当なロビー活動を行ったのでしょう。購読者へ値上がりを知らせることで、解約のきっかけを与えることを恐れたのです。結局、新聞の消費税は8%に据え置かれました。

そもそも、軽減税率に縋り付かねば生き残れないのであれば、もはや新聞の役割など終わっているといえるのではないかと思うのです。

実際に、新聞は消滅の危機にあるようです。

日本新聞協会が発表している**日本の新聞の発行部数は、1997年がピークで5376万5000部。それが、2018年には3990万1576部と、21年間に4分の3に減っており、減少に歯止めがかかっていません。**

今はみんな忙しくて、出社前に自宅で新聞を読む時間などなかなか取れません。電車の中で新聞を読む人もほぼ皆無になりました。かといって、帰宅後の夜の時間に朝刊を読んでも意味がない。多くのビジネスパーソンにとって、せいぜい職場で取っている新聞に目を通すくらいでしょう。

新聞社はわかっていない

元毎日新聞社記者の河内孝さんは、日本の新聞は、ビジネスモデルを変えなければ生き残れないと言っています。

発行部数も広告収入も減っていることはもちろん問題なのだけれど、一番の危機は、インターネットの時代を生き残るビジネスモデルが見つかっていないこと、見つけようともしないことであると河内さんは指摘しています。

インターネットで誰もがつながっている時代になって、SNSなどでいろいろ情報を共有し合っているときに、メディアが「第四権力」などと威張って、上から情報を流す時代は終わったと。

僕自身、大学時代に、日本経済新聞を取って毎日隅々まで読むということをやっていました。広告まで含めて全部目を通すと、どれだけ集中しても1時間程度かかります。かかる時間と得られるものを考えたときに、続ける意味を見出せずに1カ月でやめてしまいました。

ましてや、情報の速度が飛躍的に上がった今の時代、新聞に書いてあることはすでに時代遅れもいいところです。**日経新聞を読みこなせば賢くなるとか、ビジネスに役立つ情報をキャッチできているとか考えている時点で、かなりまずい**でしょう。

アメリカで起きていること

日本には現在128の新聞がありますが、アメリカははるかに多く1400くらいです。その分、それぞれの発行部数は10万部から20万部と小さく、記者の年収は日本よりずっと安く300万円から400万円くらいだそうです。ちなみに、日本の大手新聞記者の給料は、彼らの3倍から4倍です。

また、ハフィントン・ポストを買収したアメリカの大手IT企業AOLが、ごく限られた地域について詳しく報じる「Patch」というサイトを運営しており、今後は、こうしたハイパーローカルに活路を見出そうとしているようです。

ハフィントン・ポストの経営者アリアナ・ハフィントンさんは、アメリカ議会の公聴人に呼ばれた際に、大変に象徴的なことを述べたそうです。

「多様なニュースが民主主義のために絶対に必要だというのはわかるけれど、それが紙の媒体を通さねばならないと、あなたたちは思うのですか」と。

ニューヨーク市立大学のウォルターマン氏も、こう言っています。

「我々が考えなければならないのは、**ニュースを救うことであってニュースペーパーを救うことではない**」

このように、アメリカでは、ハイパーローカルやニッチなコンテンツなど、新しいジャーナリズムの動きが出ている一方、日本の新聞はいまだに迷走しているのです。

「体質」を変えられるか

日本の大手新聞社は都心の一等地を保有していて、不動産業で利益をあげているところもありますから、潰れずにしっかり残るケースも多いでしょう。

新聞が信頼できるニュースを配信するという使命をまっとうするとしても、それは紙媒体ではなくネット上のこととなるはずです。だから、立派な社屋も印刷機械もいりません。本社社屋を今のような都心に置いておく必要はなくなりますから、不動産業の実入りは今後増えるかもしれません。

アメリカの例を見ていても、オンラインの定期購読はうまくいきそうな気配がありますから、日本もそうなるでしょう。

いずれにしても、日本の大手新聞社がどこまで「自ら新しくなれるか」が問われているのですが、それができるかは疑問です。

たとえば、日本独特の「記者クラブ」というシステムがあります。この記者クラブは民間団体として幹事社の新聞社が経営しているものの、極めて政治的な動きをします。このクラブに属していることで得られる情報があるため、すでに会員になっている社は新規参入を拒みます。

そして、この記者クラブを上手に使えば、政府もメディアをコントロールできます。つまり、権力側とメディアが持ちつ持たれつの関係でいる一面があるのです。

そういう**おいしい思いをしてきた既存の大手新聞社が、どこまでその体質を変えつつ生き残っていくことができるか。それは簡単なことではない**でしょう。

「買わない時代」が到来

「買う」より「借りる」若者たち

かつては、モノを潤沢に持っている人ほど人生の勝ち組だという風潮がありました。たとえば、若い男性にとって車は必須で、デートにレンタカーなんてあり得ませんでした。

でも、今は「車なんて買ったら維持費もかかるしお金がもったいない」と彼女に叱られる時代です。若者たちにとって、所有物を増やしていくのは、かっこいいことではありません。

環境問題にも敏感な若者は、むしろ、**必要なときだけ借りて使う「シェアリングエコノミー」を歓迎しています。**僕はもう若者といえる年齢ではありませんが、彼らのスタイルに共感を覚えます。バブル時代に、高価なブランド品で着飾っている人たちを見て、「どうしてそんな無駄なことにお金を使うのか」と思っていましたから。

車だけではなく、洋服やバッグなども、「買わずに借りる人」が増えています。最初は「自分では買えないブランドものをたくさん使ってみたいから」というニーズが高かったようですが、今は純粋に「借りたほうが便利」という理由を挙げる人が増えています。

若者たちが「買わないで借りる」生活スタイルを選んでいけば、企業も「売らないで貸す」という道を模索していくことになるでしょう。

「一定料金で好きなだけ」が安心

今後さらに、伸びてきそうなのが「サブスクリプションサービス」です。

一定の料金を支払えば「〇〇放題」というやつですね。

代表的なものはアマゾンの動画や音楽の定額配信サービスです。さらには、会員制のスポーツクラブなどは、もともとサブスクをやっていたわけです。

スポーツクラブのように、すでにある施設を用いる場合、会費を払う会員が多くなるほど儲かる計算です。

ネットのビジネスも、ちまちま課金するよりも会費で稼いだほうがいいものが多ければ、サブスクはどんどん増えていくでしょう。

また、飲食店でも、サブスク制を導入するところが増えています。

たとえば、毎月定額料金を支払うことで、毎日でも利用できるラーメン店やクラフトビールの専門店など、たびたびマスコミに取り上げられています。

今後、さまざまな業界でサブスクを取り入れられていくことは間違いないので、まさに「買わない時代」を迎えることでしょう。

ネットフリックスが「面白いもの」を増やした

サブスクリプションモデルで先頭をひた走っているのは「ネットフリックス」です。

あまり外出しない僕は、家でネットフリックスの作品をよく見ています。もともと僕は、映画館に行っても予告編などの先入観なしに作品に接するのが好きなので、ネットフリックスでも、とりあえずどんどん再生ボタンを押して、面白そうだったら見続ける、ということをしています。

ネットフリックスのおかげで、世の中に「面白いもの」が増えたと僕は感じています。ネットフリックスは映像制作の世界を間違いなく変えたし、これからも面白いものをたくさん届けてくれるでしょう。

なかでも、1970年代のメキシコを舞台にした『ROMA』というモノクロ映画は傑作でした。ネットフリックスでしか配信されておらず、役者も無名な人たちばかりでしたが、ベネチア映画祭で最高賞の金獅子賞を、アカデミー賞でも数部門で受賞しています。

このように、映画館で公開されていない映像作品がこれほど評価されるなどということはかつては考えられませんでした。

ネットフリックスの強みは、ハリウッド映画のような派手な枠組みに入り込めない良質な作品が集められる点です。これはサブスクモデルだからこそ実現できることです。

世の中には、お金はかけられないけれど面白いものをつくる才能を持っている人たちがたくさんいます。しかし、商業ベースに乗らなければ、それは僕たちには届きません。ネットフリックスは、そうした作品の受け皿になると同時に、自分たちでも、映画やドラマ、ドキュメンタリーなど多岐にわたって良質な作品をつくり出しています。

ドキュメンタリーでは、食品メーカーなど巨大産業の裏を暴くような作品も多くあります。これはネットフリックスがスポンサー頼みではないからできることです。

今後は「制作側」に進出

ネットフリックスは当初、自社制作には手を出していませんでした。作品制作の責任を負わない代わりに、まだ世の中に出ていない面白い作品を扱うことができるのが強みで、そうした作品がネットフリックスをきっかけとして世界に評価されることが多々ありました。

その後、世界中に視聴契約者が増えお金が回せるようになって、自前の作品をつくるようになりました。それでも、ハリウッドのような手法はとっていません。

ハリウッドに限らず日本映画でも、だいたい制作費と同じくらいの宣伝費をかけるのが普通です。しかし、ネットフリックスは「面白いものをつくれば宣伝しなくても人は見るでしょう」と考えているようです。

宣伝費に余計なお金を使わずに済む分、無名な人にも予算をつけることができ、僕たちも新しい才能に出会えるのです。

ところが、最近、ネットフリックスは少しスタンスを変え、すでにヒット作をいくつか出しているような有名なクリエイターに依頼をすることもしています。

アニメ作品の拡充も図ることとなり、樹林伸（きばやししん）さんなど6名のクリエイターとも直接契約しています。ただ、こうした試みがうまくいったら、ますます有名なクリエイターにお金をかけるようになり、これまでのように**「無名だけれど面白い作品」を掘り起こすことに手薄になってしまわないか危惧しています。**

新たなクリエイターはどこから生まれるか

YouTubeはどこへ行く？

僕が取締役を務める未来検索ブラジルが運営する「ガジェット通信」は、動画投稿者のマネジメントやクリエイティブのサポートをしています。つまり、YouTubeのマネジメントをしているUUUM（ウーム）のような役割も担っています。

だから、僕も仕事としてYouTubeは見ます。ただ、個人の趣味としてはほとんど関心がありません。YouTubeに費やす時間があるなら、それはネットフリックスに向けます。

僕は映画のように、頭のいい人がお金をかけてつくったもの、何かしらの考え方を得られるようなものが好きですが、**YouTubeでは、一発芸とか、商品紹介とか、料**

理とか、テンポよく短時間で展開していくものが喜ばれ、コンテンツ単体として成立しているものはほとんどありません。

「暇潰し需要」に応えている

それでも、多くの人がYouTubeを見ているのは、お金をかけずになんとなく暇潰しをしたいからでしょう。

テレビのように長い時間を取られることもなく、オチを知らされる前にCMに引っ張られるようなストレスもなく、暇潰しができるから見ているだけ。とくに面白いと感じて積極的に見ているわけではないと思います。

今は「夢はYouTuberになること」という子どもがいるほど、圧倒的な人気を誇っていますが、このままの勢いを保てるかは疑問です。

テレビに毎回のように出ているような人気芸能人さえも参入するようになってきましたから、クリエイターがちょっと動画をアップするだけで大儲けできるというケースは減ってくるでしょう。

むしろ、今までが異常だっただけで、これからはそこから発掘される才能もある代わりに、その才能に対し正当な評価がされていくのではないかと思います。

なぜなら、YouTuberたちがどんどん「過激化」しているからです。YouTubeは動画再生回数に応じて、広告料が支払われる仕組みなので、どうしても「PV至上主義」に陥りがちです。

PVを追い求めて、犯罪すれすれの行為など、とにかく過激で刺激的なコンテンツを配信した結果、逮捕事例が相次いでいます。

そうしたトラブルが続出すると、運営側も対策を講じなければいけないので、過激なコンテンツには広告がつかないようになったりなど、取り締まりが強化されます。

つまり、ルールを逸脱したコンテンツは、短期的には稼げても長期的には絶対にうまくいかないのです。

よく「これからどんどんYouTuberは過激になっていく」と警鐘を鳴らす人もいますが、僕は**ルールを守らない人は淘汰されていき、最終的には安全に楽しめるコンテンツを提供する人が残る**と予想しています。

世知辛い世の中ではありますが、ことYouTubeにおいては、「真面目な人が得をする世界」が実現していきそうです。

切り抜き動画は以前から

最近、僕の切り抜き動画をつくってくれる人があちこちにいて話題になっています。内容的には、僕から見ても「よくできているな」と思うものもあれば、正直なところ「その切り抜き方はどうなの?」というものもあります。でも、どのような形で切り抜かれても、僕はノータッチでいます。

そもそも、切り抜き動画的な手法は目新しいものではありません。テレビに出ているタレントは、編集段階で切り抜かれること前提で、カメラの前で演じているわけです。

オリンピックで活躍するスポーツ選手も、あちこちのテレビ局で勝手に編集して特番をつくられます。でも、それにいちいち文句はつけません。僕自身、切り抜き動画はテレビに出るときの感じと似ているなという感覚を持っています。

もちろん、不本意な場面を切り抜かれることもあるでしょうが、いいパフォーマンスをすれば、それをさまざまな形でいろいろな人が切り抜き編集して新しいコンテンツをつくってくれるのですから、うるさく言わないほうがいいと僕は結論づけています。

テレビタレントやスポーツ選手に限らず、**僕のような感覚で「切り抜かれていく人」が、これからは増えていく**のではないかと思います。

日本作品の海外進出は思ったほど進まない

クールジャパン戦略の愚は繰り返される

僕は以前から、日本の「クールジャパン戦略」に批判的でした。まったく見当違いのことをやっているとしか見えなかったからです。

さらに、新体制になったクールジャパン機構が、2019年8月、「Sentai（2008年に設立された、日本製アニメのライセンス事業を手がけるアメリカの会社）」に投資を決めました。

もちろん、日本の作品を世界に広めることには賛成ですが、日本の税金を使うのであれば、日本の会社にやらせるべきでしょう。

Sentaiにまかせるなら、2017年にファニメーションを買収したソニーにやらせたほうがよかったと僕は思います。

結局、いくら「機構」を新体制にしてみたところで、同じようなメンバーが残っていて、表面的なやり方を変えただけのこと。大元の頭脳が変わらないからダメなんでしょう。

「日本のアニメ」の今後

それに、**「アニメと言えば日本」という優位性はもはや保てなくなる**と僕は思っています。今は、日本のアニメでも、多くが韓国やインドネシアの人たちが下請けでつくっています。

また、アメリカでもCGアニメが大量に出始めていますから、「日本の製作能力が飛び抜けて高いわけじゃない」という見方がなされるようになっていくでしょう。

そもそも、日本のアニメに対する熱狂的な支持者が世界中にたくさんいるわけではなく、ごく一部のオタクだけです。フランスでも『君の名は。』を知っている人はほとんどいません。いまだにテレビで『聖闘士星矢（セイントセイヤ）』が流れているくらいです。

もう一つ、日本では映像権のハンドリングがうまくできていないことも問題です。

ツイッターなどのＳＮＳでは、無名の漫画家がちょこちょこ出てきていますが、やはり漫画雑誌を長くつくってきた出版社が、しっかりしたスキルを持った編集者を担当につけて優秀な漫画家を育てていくという構図はなかなか崩れないでしょう。そうしてつくられた良質な作品は、『ワンピース』や『ナルト』などのように、世界から支持されていくと思います。

でも、そこから実写の世界に進めるのが日本では大変。独特な著作権のあり方が原因で、出版社主体で動くことが難しいのです。

こうしたことを解決していかないと、**どれほど優れた作品をつくっても、世界における競争力を失っていく**でしょう。

応援しているつもりで潰していく

クールジャパン新体制では、投資領域を「メディアコンテンツ」「ファッション・ライフスタイル」「食・サービス」「インバウンド」の４分野に絞っています。

それ自体が悪いとは思わないけれど、官僚の判断で投資して当たるのでしょうか。

官僚に投資させるくらいなら、無差別にお金を配ったほうがまだましなのではないかと思います。

以前は、日本人が海外の展示会に出展するときには、旅費の半分くらいを国で負担するという仕組みがありました。そのときは、コンテンツや内容をチェックしていなかったから、外れもあったけれど当たりもありました。

しかし、正しい判断ができない人間が審査すれば、圧倒的に外れが多くなるでしょう。そして、当たりの可能性があるものを潰してしまいます。だから、**余計なことをやらずに、機械的により多くのコンテンツを支援していったほうがいい**のです。

たとえば、「メディアコンテンツ」についていうと、日本食のレシピなどを動画で紹介するアメリカのメディアが最初の投資先になっています。

しかし、もっと前から日本食のレシピ動画をアップして再生数を稼いでいる日本人は結構いました。そういう先駆者の存在を無視し、後発の海外の会社と手を組んでしまっていいのでしょうか。

どうも、応援する先を間違っているような気がしてなりません。

まだ誰もやっていない分野についてなら、税金を突っ込む意味はあります。しかし、誰かが少しうまくやり始めていたところに、あとから来てかき回すようならば、結局は足を引っ張る結果となるでしょう。

これからは「狂った個人の作品」が評価される

「ニッチな層」にアプローチする

日本が海外で勝負できるコンテンツとして、アニメや伝統芸能・伝統工芸があると僕は考えています。

ただ、いずれにしても大きな企業が手がけるのではなく、クリエイター個人がこだわり抜いてつくるほうがいいでしょう。

たとえば、アメリカのマーベルなど、大勢の頭のいい人たちが大金をかけて作品をつくっています。そういうところと勝負してもかなわないから、これからは個人がニッチな層に向けて作品をつくることをすすめます。

242ページで紹介した『ＲＯＭＡ』も普通に映画館で上映したらヒットしなかったで

しょう。ネットフリックスで全世界のニッチな人々に向けて配信したから成功したのだと思います。

国としては、そういう存在を見過ごさないようにすることです。マジョリティーを狙いすぎず、**個人の「これ面白いよね」という声を拾っていくほうが、結果的にメジャーになりやすい時代**なのです。

極める個人を送り出せ

ただ、ニッチを届けるマーケット自体は、すでにネットフリックスなどに取られてしまっています。ここで日本にできるのは、個人で作品をつくり上げ、ネットフリックスのようなプラットフォームと交渉していくことです。

そういう作業は、「狂った才能」がこだわり集中することで可能になります。

『君の名は。』『天気の子』が大ヒットした新海誠（しんかいまこと）さんも、最初はYouTubeもない時代に1人でアニメをつくっていました。

おそらく、「自分にとって理想の作品をつくりたいから」という理由だけで狂ったようにやっていたはずです。そうした**突出した才能に対し、「これいいね」と思う人がいっぱい出てきて、投資する人も現れた**わけです。

これからの日本においては、そういう形でクリエイターを送り出して行くのが理想でしょう。

今は、パソコンなどのツールもスペックの高いものが一般の人でも手に入ります。さらには、YouTubeなどの投稿先もたくさんあります。

個人が自分の「好き」を徹底的に極め、ニッチ市場に出て行くことは、以前よりはるかに容易になっています。

クリエイターをどうサポートするか

天才クリエイターが現れたときに、その人を売れる世界に引っ張り出すために周囲に必要な要素がいくつかあります。

まずは、組織としてその才能が潰れないような制作の場を提供すること。

優秀なクリエイターは、満遍なくコミュニケーションがとれるような人ではないことがほとんどです。そんなことはできなくとも、才気溢れる作品をつくり出せればそれでいいわけです。

いってみれば、彼らは「変わり者」なわけで、どういうスタッフと組ませるかは非常に重要です。一緒に制作するスタッフについては、本人が気持ちよく仕事を進められることが大事。優秀でなくても、周囲はそれを認めるべきでしょう。

もう一つ、適度に毒を抜くフォローができること。

新海さんの『君の名は。』について、ハッピーエンドにするべきじゃなかったと言う人もいます。しかし、売れる映画はハッピーエンドです。

もしかしたら、新海さんはハッピーエンドが苦手かもしれません。だとしたら、本人に代わって、毒を抜く人が必要です。

最近は「ポリコレ（ポリティカル・コレクトネス）」が重視されるようになり、社会性のない人がそのまま活動していくことは、どれほど才能があっても難しい時代です。

クリエイターの人格と、作品の評価は別の話なのですが、それが同列に語られてしまいがちです。

だから、才気溢れるクリエイターが苦手とする部分については、誰かがフォローしていくのは大事です。

もちろん、才能とただの暴走は違います。

僕自身は、体を張った危険な行為を見ること自体は嫌いじゃないですが、暴走系の動画などに拒絶反応を示す人がいるのも当然です。

ただ、**クリエイターは、人とまったく違う考えをするからこそ面白いものがつくれるわけですから、そういう環境を潰してしまうことはしないほうがいい**でしょう。

おわりに

中国の富裕層は子供を海外留学させることが多かったりします。中国は経済的にはすごくうまくいっていますが、それでも長期的にずっと安定しているとは限りません。自由主義や民主主義の国でもないですし、エリートやお金持ちを迫害した文化大革命をやったのが、現在でも実権を握る中国共産党なので、中国人としても中国をそこまで信用できないというのがあるのだと思います。

一方、日本でも富裕層が子どもに英語教育をしたり、インターナショナルスクールに入れたり、留学させたりという話を聞く機会がだいぶ増えた気がします。

短期的に日本がひどい国になるとは多くの人は思っていないと思いますが、今の子どもたちが成人して、孫世代が生まれてくる30年後の日本は果たしてどうなるのか？というのを考えると、なかなか厳しい可能性が高いというのは本書でも触れている通りです。

どんな国でも問題があるのは当たり前なのですが、日本がまずいのは、問題を解決することなく後回しにし続けていることだと思います。

「日本はまだまだ大丈夫！」と考える人たちには、本書で出てくる問題をどうやったら解決できるのか考えて実行してもらわないといけないのですが、残念ながら、実際に解決に向けて動き出している人はほとんどいません。

たとえば、少子化問題の解決を目指す場合、女性が仕事を辞めても経済的に安心して子供を産めるように補助金制度を拡充する。または、共働きでも子どもを育てやすいように保育施設を増やすといった解決策はすぐに思いつきます。

でも、それを実行に移すためには、他人の子供のために税金を使われるのが嫌だと考える人が多数派であるという現実を変える必要があります。

アイデアや案がないわけではなく、日本人の多数派の合意として、問題が放置されたままで時間だけが過ぎていくという状態が続いているわけです。

ただ、日本人の規範意識の高さや日本の治安のよさ、ごはんのおいしさというのは30年後もそこまで変化していないと思うので、稼がなくても楽しく暮らすという心構えを持っている人にとっては、日本は過ごしやすい国のままだと思います。

なので、日本で今後幸せに生きるには社会を変えるか？　心構えを変えるか？　の二択になるんじゃないかと思っていたりします。とくに「心構えを変えたい」という人には、本書が役に立つはずです。

ひろゆき